PRIVÉ DE SOINS

ALAIN VADEBONCOEUR

PRIVÉ DE SOINS

Contre la régression tranquille en santé

Préface de Bernard Émond

© Lux Éditeur, 2012
www.luxediteur.com

Dépôt légal : 4ᵉ trimestre 2012
Bibliothèque et Archives Canada
Bibliothèque et Archives nationales du Québec
ISBN : 978-2-89596-144-4

Ouvrage publié avec le concours du Conseil des arts du Canada, du Programme de crédit d'impôt du gouvernement du Québec et de la SODEC. Nous reconnaissons l'aide financière du gouvernement du Canada par l'entremise du Fonds du livre du Canada (FLC) pour nos activités d'édition.

*À tous ceux que j'ai soignés
pour tout ce que vous m'avez appris
et parce que nous sommes ensemble*

Préface

Les croyances et les faits

À LA LECTURE des textes d'Alain Vadeboncoeur, je constate à quel point 30 années d'offensive idéologique tous azimuts contre l'État et les institutions publiques ont inversé le sens des mots «croyances» et «faits». Jour après jour, depuis les années 1980, les chroniqueurs, éditorialistes, animateurs, bref la presque totalité du sérail médiatique nous assène l'idée que l'économie est un état de nature et que quiconque remet en question la prépondérance de sa «main invisible» dans tous les aspects de l'existence bascule dans l'«idéologie». Il y aurait d'un côté les «faits»: le poids «écrasant» de la dette publique, la «nécessité» des rationalisations, délocalisations et autres compressions de personnel, la «supériorité» du privé sur le public en matière d'efficacité; et de l'autre l'«idéologie», c'est-à-dire tout ce qui remet en question ces politiques d'austérité. Les thuriféraires du désengagement de l'État se sont même approprié le qualificatif de «lucides», rejetant d'un seul coup tous leurs opposants du côté de l'illusion et de l'aveuglement.

Alain Vadeboncoeur remet les choses à leur place. D'emblée, il reconnaît sa croyance en l'idée de bien commun. C'est une croyance, n'en doutons point: on peut tout aussi bien croire au bien commun qu'à l'égoïsme et à la main invisible ; mais c'est une croyance qui se donne pour telle, contrairement à l'autre, qui se présente comme un constat. Par contre, une fois sa croyance affirmée et revendiquée, Vadeboncoeur se range ensuite résolument du côté des faits. Il apparaît alors de manière répétée cette chose extraordinaire : nous découvrons à quel point les lucides s'illusionnent et à quel point ils sont aveugles aux faits les plus avérés. Chacun de ces petits textes met à jour une illusion de ceux qui se réclament du réalisme : l'« explosion » des coûts de la santé, la « supériorité » du modèle PPP (partenariat public-privé), l'« efficacité » du privé. Page après page, nous découvrons à quel point les lucides sont non seulement aveugles à tout ce qui n'est pas leur intérêt personnel, mais qu'ils sont par surcroît résolument allergiques aux faits.

Avec l'épisode de l'attribution de la construction des CHU aux PPP, nous nageons en plein surréalisme : la déraison semble s'être emparée du gouvernement Charest qui, insensible comme toujours à toutes les critiques provenant de la société civile, a fait preuve d'un véritable acharnement doctrinaire. Et encore, c'est peut-être bien charitable de qualifier ainsi l'attitude de ce gouvernement corrompu, qui s'illusionne peut-être moins qu'on pense et défend tout simplement de la façon la plus cynique les intérêts de ses maîtres.

Le livre d'Alain Vadeboncoeur est important, non seulement parce qu'il se porte à la défense du bien commun et de l'accès universel et gratuit aux soins de santé, mais aussi parce qu'il donne à tous les citoyens les arguments pour résister aux grandes manœuvres de la privatisation. Le problème est que ces arguments puissent arriver à se frayer un chemin sur la place publique. Ce n'est pas qu'ils n'y aient pas accès, évidemment :

l'objectivité de façade des grands médias y pourvoit. Mais il suffit de lire *La Presse*, *Le Journal de Montréal*, *L'Actualité*, ou de regarder les « débats » organisés par les différents médias, pour mesurer à quel point le combat des idées est faussé par un engagement de fond de leurs directions respectives en faveur des politiques d'austérité.

Le résultat des 30 dernières années de propagande est que le Québec est en passe de devenir une société de droite. Ne nous illusionnons pas : le formidable réveil populaire et étudiant du printemps 2012 ne doit pas faire écran ; une majorité de citoyens a appuyé la hausse des droits de scolarité. C'est dire à quel point les idées les plus réactionnaires ont fait du chemin dans une société qui, il n'y a pas un demi-siècle, mettait en branle les chantiers de la Révolution tranquille.

Devant cette évolution, deux attitudes sont possibles : le fatalisme (ce faux réalisme qui est en fait un cynisme déguisé) et l'engagement. Mais on ne s'engage que lorsque l'on croit. Que cette croyance doive s'accompagner d'actions et d'analyses fondées sur des faits ne change rien à l'affaire : s'il n'y a pas foi dans des valeurs d'humanité et de solidarité, dans la nécessité de défendre le bien commun, dans l'idée même de société et dans celle de prochain, il n'y a pas d'engagement possible.

Les textes et la pratique d'Alain Vadeboncoeur témoignent de cette foi agissante. Son action et ses arguments sont par contre fondés sur des faits. Les gens d'en face ne peuvent pas en dire autant. Si un médecin prenait autant de libertés avec les faits qu'un éditorialiste de *La Presse* ou que notre ancien premier ministre, la vie de ses patients ne vaudrait pas cher.

Bernard Émond
Cinéaste

Liste des sigles

ADQ	Action démocratique du Québec
ALENA	Accord de libre-échange nord-américain
AMC	Association médicale canadienne
AMP	Activité médicale particulière
AQESSS	Association québécoise des établissements de santé et de services sociaux
CAQ	Coalition Avenir Québec
CCPA	Centre canadien des politiques alternatives
CHSLD	Centre hospitalier de soins de longue durée
CHU	Centre hospitalier universitaire
CHUM	Centre hospitalier de l'Université de Montréal
CHUQ	Centre hospitalier universitaire de Québec
CLSC	Centre local de services communautaires
CMS	Centre médical spécialisé
CSSS	Centre de santé et de services sociaux
CSST	Commission de la santé et de la sécurité du travail
CUSM	Centre universitaire de santé McGill
FMOQ	Fédération des médecins omnipraticiens du Québec
FMSQ	Fédération des médecins spécialistes du Québec
FPA	Financement par activité
GMF	Groupe de médecine familiale
ICIS	Institut canadien d'information sur la santé
MQRP	Médecins québécois pour le régime public

MSSS	Ministère de la Santé et des Services sociaux
OCDE	Organisation de coopération et de développement économiques
OMC	Organisation mondiale du commerce
OMS	Organisation mondiale de la santé
PLQ	Parti libéral du Québec
RAMQ	Régie de l'assurance maladie du Québec

Première partie

Un choix

Il neige à Timimoun

Le désert, la nuit, est une véritable imposture. On croit rêver.
On perd le sens du réel. On y voit des chamelles beiges cicatrisées de rose
en train de nomadiser. Des palmiers verts posés sur les dunes safran.
Mais tout cela est faux. Le Sahara est méchant. Il est dur. Il est insupportable.
Seuls les touristes de passage le trouvent idyllique et envoûtant.

Rachid BOUDJEDRA, *Timimoun*

MATHÉMATIQUE OU MÉDECINE ? Admis à l'université dans ces deux facultés, j'hésitais. C'est une carrière que j'allais dans un instant choisir. Le nombre ou la vie ? Par ce beau vendredi du printemps 1982, j'avais 18 ans et rien de ce qu'on pourrait appeler une vocation médicale précoce. J'aimais bien les mathématiques, beaucoup moins la biologie, mais il fallait quand même décider et c'était la dernière journée, la dernière heure. Et la première, comme dirait l'autre ! Alors d'une simple croix sur un formulaire, j'ai choisi la vie. J'ai coché « médecine ». Presque au hasard.

Trois ans plus tard, allongé sur la terrasse d'un modeste pavillon de torchis, me gavant d'orangeade, je racontais cette histoire à mon ami Mohammad. J'habitais depuis quelques jours au beau milieu du désert d'Algérie, dans la palmeraie de Timimoun. Je peinais encore à me lever, mais j'étais vivant, c'était déjà ça.

Le désert m'avait joué un sale tour. Avec Hans, sympathique Néerlandais qui me dépassait d'une tête et que j'avais rencontré quelques semaines plus tôt dans le sud de la Tunisie, j'avais voulu marcher jusqu'à un village situé de l'autre côté de l'immense lac de sel bordant Timimoun. Partis l'après-midi, nous avions rejoint le premier soir une poignée de maisons creusées à flanc de colline. La musique berbère y faisait danser les gens rassemblés pour une noce. Fourbus, nous nous étions endormis sur des paillasses.

Le lendemain, après avoir remercié nos hôtes, nous avions poursuivi notre marche et, vers la fin de l'après-midi, nous avions atteint trois maisons défoncées en blocs de ciment gris, à côté de quelques palmiers poussant autour d'une source chétive et de latrines à ciel ouvert. Les quelques habitants, d'abord surpris par notre apparition, nous avaient aimablement offert l'hospitalité inconditionnelle du désert maghrébin. Après avoir mangé, nous nous étions couchés à même le sable, dans la pièce vide et carrée d'une maison abandonnée. Mais ayant marché plus longtemps que prévu, nous avions épuisé notre réserve d'eau.

Souffrant davantage de la soif que mon ami, j'avais accepté un peu de cette eau cristalline apportée par nos hôtes avant le coucher et m'étais aussitôt endormi. Au milieu de la nuit, je me suis brusquement éveillé. Il y avait des bruits autour. J'ai ouvert les yeux, inquiet : on distinguait mal, mais ça grouillait dans l'ombre. Un frisson, subitement : c'étaient des rats ! Les bêtes couraient en glapissant, et de plus en plus vite et dans toutes les directions ! J'ai voulu crier pour alerter Hans, mais ma gorge trop sèche refusait. Mon angoisse grandissait. Je frissonnais. Et l'air me manqua. J'ai tenté de me lever, de m'enfuir, mais c'était devenu impossible : j'étais paralysé !

Puis, de nouveau, j'ai ouvert les yeux. Tout était calme. Hans dormait. Quel cauchemar ! J'entendais seulement comme une respiration rapide dans l'absolu silence. C'était la mienne.

Le tournis qui m'avait secoué en rêve envoyait maintenant valser les murs du réel : j'étais sur un manège, ça n'allait pas mieux ! J'ai alors commencé à ressentir de violentes crampes. En me levant, j'ai été projeté contre le mur où je me suis frappé la tête. J'ai réussi tant bien que mal à rejoindre un trou béant. Au-dehors, la lune faisait étrangement briller la poussière blanche qui recouvrait tout. Il avait neigé.

Un empoisonnement ! Plié en deux, je me tenais le ventre pour atténuer la douleur, puis, fontaine inversée, mes flots ont rempli les latrines et c'était l'abondance. Je ne peux dire combien de temps je suis resté ainsi ; je m'affaiblissais vite. Les poules venaient prendre des nouvelles, mais je n'avais rien à leur dire. Ma langue sèche comme le sable demandait à boire.

Puis, ça s'est calmé un peu, j'ai pu me recoucher et dormir quelques heures. À l'aube, Hans m'a regardé d'un air inquiet, sans un mot. Je me suis levé, péniblement. Après avoir mangé quelques fruits et remercié nos hôtes, nous sommes repartis vers Timimoun. Nous voulions avancer avant que le soleil ne soit haut. Encore faible et sans doute fiévreux, j'avais les jambes en guenille. Marcher sur une croûte de sel brûlante est désagréable quand on crève de soif. Pour arriver à Timimoun avant la nuit, il fallait prendre le bon chemin, qu'on nous avait cette fois bien indiqué.

Alors que je somnolais debout, une forme s'est détachée derrière une colline. Une maison ? Effectivement, à 100 mètres, se dressait une maison modeste, blanchie à la chaux, mais sans signe de vie. C'était le silence. Puis, un vieil homme à la barbe éparse, aux yeux noirs fins et à la peau brûlée est apparu, nous observant du seuil.

Un discret mouvement de bienvenue de la tête lui a suffi, nous le lui avons rendu. Nous nous sommes présentés, mais l'homme ne semblait pas comprendre le français. Nous avons fait le signe de boire et glissé quelques mots en arabe. Il nous fixait encore en silence. Puis, se reculant lentement, il nous a invités à entrer dans une sorte de salon, un peu plus frais, où je me suis laissé tomber sur un vieux divan. J'étais crevé, j'ai fermé les yeux. Je me suis assoupi.

Des pas m'ont réveillé. Revenu avec deux grosses bouteilles de liquide orangé, l'homme nous les a offertes sans rien dire, puis s'est allumé une cigarette, nous souriant vaguement. Saint-Exupéry a raison : l'eau n'est pas nécessaire à la vie, elle *est* la vie. Même l'orangeade chaude, c'est la vie. Je revenais à moi. Après une heure environ, nous avons pris congé de notre hôte, qui nous a remis deux autres bouteilles de même teinte, et nous avons repris notre marche. Le soleil commençait à baisser et avec lui, la température : une libération. Au bout de deux heures, les palmiers entourant Timimoun nous sont apparus au loin.

Après m'avoir conduit en me soutenant jusqu'au pavillon où nous avions trouvé logement, Hans s'est rendu au village pour souper. Moi j'étais bien trop faible. Puis, Mohammad est venu me retrouver avec d'autres bouteilles d'orangeade, qui me rappelaient le Crush de mon enfance. Ça allait mieux. Je lui ai raconté mon histoire. Jusqu'à mon abandon du cours de médecine huit mois plus tôt.

Il grimaçait. Puis, l'air dédaigneux : « Tu es vraiment stupide. » J'étais bien d'accord : s'aventurer sans précaution sur un lac de sel n'était pas brillant. Son regard était sévère. « Marcher dans le désert sans eau, c'est stupide. Mais tu n'es pas d'ici, tu ne pouvais pas savoir. » Il respirait bruyamment. « Non, je te parle de médecine. Tu ne peux pas abandonner. » Il ne pouvait comprendre mon choix et alternait entre la colère et l'incompréhension.

Mohammad devait avoir mon âge. Les yeux vifs, vêtu d'un veston beige et d'un vieux pantalon jaune en toile, chaussé de souliers où manquaient les lacets, il était mince comme la plupart des gens que nous avions croisés, parlait trop vite de sa voix sourde et haut perchée, mais prenait le temps d'écouter. Je l'aimais bien, c'était un garçon brillant à qui je m'étais attaché dès mon arrivée à Timimoun. Mais il paraissait malade : toussant régulièrement, il prenait de courtes pauses entre chaque phrase pour reprendre son souffle, ignorant ce qui affectait ses poumons. Peut-être de l'asthme ou quelque chose de plus grave comme la tuberculose. Car il perdait du poids. Après avoir consulté un médecin, il cherchait maintenant de l'argent pour une radiographie. Je lui en avais donné, mais c'était insuffisant. Il ne pouvait plus travailler physiquement et ne trouvait pas d'emploi. Comme ses amis, il occupait ses journées à boire du thé, à se promener et à discuter – la vie ne lui offrait pas d'autres options.

Je lui ai expliqué comment je m'étais retrouvé dans son lointain village par hasard, au cours de ce long voyage qui m'avait mené de l'Europe au Maghreb, où j'avais débarqué dans le port de Tunis en pleine nuit, le 1er de l'an 1986. Tous les hôtels affichant complet, remplis d'Algériens en vacances, c'est un boxeur rencontré par hasard sous un lampadaire qui m'avait hébergé. J'étais resté chez Mahjoub Bejaoui trois semaines, séjour agité par divers événements : descentes de police, fuites sur les toits, démonstrations de karaté – j'avais ma ceinture jaune, ce qui avait fait illusion –, longues marches la nuit dans les rues de cette ville fascinante, rencontres étonnantes. Puis, j'avais pris congé un matin pour descendre dans le désert où j'avais rencontré Hans, avant d'obliquer vers l'ouest, de traverser la frontière et de rejoindre Timimoun par cette route isolée menant jusqu'au Maroc.

Mon voyage intéressait Mohammad, mais l'idée que je puisse abandonner la médecine l'obsédait, il y revenait sans cesse. Je lui ai alors exposé mon souhait de prendre le large avec un sac à dos, comme plusieurs de mes amis à l'époque. Je n'en pouvais plus de ces journées à 200, entassés dans un auditorium à prendre d'interminables notes, tentant d'assembler dans ma tête ces notions médicales trop disparates pour les capacités ordinaires de ma mémoire. Je n'aimais pas trop l'atmosphère de cette classe ni la compagnie forcée de ces étudiants modèles. J'étais un peu malheureux.

Je lui décrivais comment, durant cette laborieuse troisième année de médecine où je n'allais plus vraiment en classe, c'est le journal étudiant, pour lequel je m'amusais à écrire des chroniques déjantées avec mon ami Guy Ferland, qui m'avait aidé à survivre. Jusqu'à un certain jour où je m'étais rendu au bureau du vice-doyen, sympathique motocycliste qui savait écouter, pour lui annoncer la grande nouvelle : « Je veux quitter la médecine, ce n'est pas fait pour moi. » Le vice-doyen avait cet air triste que je lui connaissais. « Tu veux vraiment abandonner ? Peu d'étudiants abandonnent le cours… Tu en es vraiment certain ? »

Je ne me sentais pas à ma place, voilà tout. « Tu pourrais prendre une année de pause, sans abandonner le cours, tu as droit à ça et tu aurais plus de temps pour y penser. Si tu changes d'avis, tu reprendrais l'an prochain.» Je n'y croyais pas trop, mais l'avais remercié pour l'idée. Après la troisième année, j'avais travaillé tout l'été en recherche avec le grand aphasiologue André-Roch Lecours, puis levé les voiles en septembre, laissant derrière moi ma blonde, mes parents, mes amis et la faculté. Pas mal tout, finalement. Ayant pris un aller simple pour Londres, je m'étais retrouvé un matin un peu frisquet de septembre à Trafalgar Square, où ça grouillait de punks sympathiques. Je n'avais aucune idée d'où aller, mais j'étais bien, la vie commençait, en quelque sorte.

Puis, sans itinéraire, sur le pouce, j'étais parti de Londres, avais traversé la Manche pour me retrouver au Pas-de-Calais, ensuite à Rouen, La Rochelle et à rebours jusqu'à Paris, puis de nouveau vers l'Atlantique jusqu'à Bordeaux, pour aboutir après quelques semaines à Toulouse. Je dormais n'importe où, souvent dehors ou chez des gens qui m'invitaient, je mangeais ce qui me tombait sous la main, j'étais un voyageur errant, pas très propre et plutôt barbu, mais en pleine forme à force de marcher et désormais plutôt heureux.

Réalisant toutefois, à l'occasion de discussions avec des étudiants en médecine de Toulouse, que mes notions médicales s'envolaient rapidement, je m'étais rendu à la faculté de médecine pour me procurer de la lecture. Voyant un exemplaire de la *Petite Encyclopédie médicale* du célèbre professeur Jean Hamburger, je l'avais acheté, mais c'est sans conviction que je le feuilletais de temps en temps. Passant plus tard par Montpellier, j'avais eu l'idée d'assister à un cours dans la plus vieille faculté de médecine d'Europe. Même avec plus de style, c'était aussi ennuyeux que chez nous. Non, je n'étais décidément pas fait pour la médecine.

J'avais ensuite poursuivi mon périple au hasard : arrêts à Nancy, Genève, puis Lausanne, et la belle Salzbourg, avant de rejoindre l'Italie par Venise et de descendre vers Florence et Rome, plonger quelques jours dans le délire des rues de Naples, longer la côte et embarquer pour la Sicile, où j'avais erré trois semaines jusqu'à Syracuse. Puis, un beau soir, j'avais pris le bateau pour Tunis. Onze heures de traversée. Jusqu'à ce doux soir du 31 décembre où j'avais vu se profiler au loin le continent rouge. L'Afrique.

Mohammad avait écouté mon récit avec attention et posait moult questions. Puis, il était revenu à la charge : « Tu peux devenir médecin et tu vas laisser tomber ça ? C'est vraiment stupide ! Tu es en fuite et ça ne te mènera nulle part ! » Cela ne me laissait pas indifférent, il l'avait bien vu. La douceur était revenue dans sa voix : « Retourne chez toi et termine ce que tu as commencé. » Mohammad me fixait, plus grave que jamais. Jusque-là, ma décision d'abandonner la médecine m'avait semblé presque courageuse, voire idéaliste, en tout cas fort originale. Mais c'est Mohammad qui avait raison : c'était d'une stupidité sans nom.

Je venais d'un monde où tout était tellement plus facile que chez lui. J'allais balayer du revers de la main cet héritage. Né dans une société où presque tout le monde peut manger, vivre, étudier, travailler et fonder une famille, ma vie contrastait avec la sienne, lui à qui ne se présentaient que des choix simples, rien à abandonner, seulement survivre. Nous étions séparés par quelque chose de presque insurmontable, notre lieu de naissance.

Ce soir-là, il s'était levé sans un mot avant de quitter la maison. J'étais resté quelques heures à réfléchir, sous le ciel étoilé, épuisé par mon aventure et sans doute sonné par la discussion, avant de m'endormir sur la terrasse. C'est là que mon retour vers la médecine a débuté.

Je n'ai plus eu de nouvelles de Mohammad, mais je pense souvent à lui. Surtout ces jours-ci, alors que le Québec est secoué par ce que nous appelons notre printemps québécois. Je l'aimais bien.

Quand j'ai raconté cette histoire au vice-doyen, après mon retour au Québec en mai, il a souri, puis jeté par la fenêtre un coup d'œil au ciel grisâtre.

J'étais de retour, bien vivant et plutôt heureux. Ce n'était pas si mal.

Engagez-vous qu'ils disaient

S'il est possible de trouver quelque moyen qui rende communément les hommes plus sages et plus habiles qu'ils n'ont été jusque ici, je crois que c'est dans la médecine qu'on doit le chercher.

René Descartes

L ES ÉTUDIANTS en médecine de l'Université d'Ottawa me regardaient avec perplexité. Je leur avais lancé à brûle-pourpoint, au début de ce cours portant sur l'engagement social du médecin, que pour eux « le plus dur était fait » ! Fraîchement arrivés sur les bancs de la faculté et songeant peut-être aux longues études à venir, aux années de résidence, aux quarts de travail interminables et aux gardes de nuit, ils n'avaient pas l'air convaincus : 6 ans d'études encore, voire 10 ou 12, c'est vraiment l'éternité à cet âge.

Le plus difficile, c'est d'être admis en médecine. Après, on suit le courant. Mais des barrières bloquent jalousement l'accès aux facultés, causant nombre de difficultés, d'échecs et même de drames. On critique d'ailleurs fréquemment la pertinence des critères d'admission. Quel lien peut-il y avoir entre les bonnes notes et ce qui fait un bon docteur ? Empathie et sens de l'écoute, par exemple, sont des qualités plus ou moins répandues dans la confrérie. À l'Université de Montréal, où j'ai suivi mon cours il y a 30 ans, les notes n'étaient d'ailleurs pas tout, seulement la première étape. On passait ensuite des entrevues, en groupe puis individuellement, dont je me souviens fort bien, et certains tests d'aptitude que j'ai complètement oubliés.

Handicapé par une insuffisance de vocation médicale, je n'avais pas pris mes entrevues au sérieux : lunettes de travers, t-shirt au goût douteux, jeans élimés et baskets usés, ma tenue jurait avec celles des autres candidats, bien mis de leur personne. Je n'étais pas un concurrent redoutable. Quoi qu'il en soit, quelques semaines après les entrevues, ayant reçu une réponse positive qui m'avait surpris, le sort en était jeté.

Au retour de l'été, voilà que je me retrouvais à courir d'un bar à l'autre de la rue Saint-Denis, déguisé en palmier. C'était l'initiation. Dès le matin, on nous avait rapidement dirigés au mythique local P-310, auditorium dont la teinte orangée nous imprégnerait durablement le cerveau. Quelques instants après y avoir trouvé une place, nous prenions déjà fébrilement des notes, tentant de suivre le mitraillage verbal du Pr Paul Lévesque, lancé dans un incompréhensible cours de biologie fondamentale. J'étais terrifié : c'était quoi ce délire ? Je ne comprenais rien ! J'ai fini par me rendre compte que cette folle séance sur le cycle de Krebs était un simple canular – le palmier que je portais sur la tête aurait dû me mettre la puce à l'oreille – et que ce professeur verbomoteur était en réalité un étudiant grisonnant de deuxième année qui, après s'être payé notre gueule, avait abandonné son ton pince-sans-rire pour nous expliquer l'horaire d'une journée qui serait nettement moins studieuse.

J'en étais à me demander, inquiet, à quoi ressemblerait le reste de l'année : avais-je *vraiment* fait le bon choix, quelques mois plus tôt, en cochant la case « vie » ? Je regardais autour de moi : étais-je le seul, dans ce groupe hyperactif de convaincus, à me poser cette question ? À l'époque, je pensais que oui, aujourd'hui, je réalise que non : nous étions probablement plusieurs à douter.

Je me suis ainsi attardé plus d'une fois, ces dernières années, lors de rencontres avec des étudiants, à explorer des questions qui avaient été autrefois les miennes : pourquoi avoir choisi la médecine ? Comment s'étaient-ils rendus jusque-là ? Bien entendu, ils insistaient sur l'idée de soigner, de guérir les malades, d'exercer un métier à nul autre pareil. Puis, ils soulignaient leur volonté, leur détermination, leur persévérance, qualités réelles bien qu'accompagnées parfois d'un certain narcissisme. Ils ressemblaient à mes anciens confrères de classe : ayant travaillé très fort pour en arriver là, ils avaient mérité leur place. « Tout ce que vous dites est vrai, mais ça n'explique pas tout. La pratique de la médecine a surtout à voir avec la notion de *bien commun*. » Ils étaient perplexes. Je leur demandais alors s'ils connaissaient le rapport Flexner, publié en 1910[1]. Certains se souvenaient vaguement du nom. Ce célèbre rapport était pourtant en lien direct avec leur présence dans l'amphithéâtre.

Le rapport Flexner a contribué, au début du siècle dernier, à donner un statut particulier à la médecine dite « allopathique », en l'instituant comme science moderne. Notre « allopathie » n'a en effet pas toujours occupé la position enviable qu'on lui connaît aujourd'hui. Elle n'a été longtemps qu'une médecine parmi d'autres, jusqu'à ce qu'Abraham Flexner lui donne une position dominante, assurant sa suprématie au sein des écoles ostéopathiques, homéopathiques, phytothérapeutiques, électriques, chiropratiques et mécanistes, entre autres.

Il lui fut reproché, en tant qu'auteur financé par la Fondation Carnegie, d'avoir rejeté la « médecine de la santé », au détriment

---

1. Abraham Flexner (1866-1959) fut directeur de collège à Louisville (Kentucky), puis il enseigna à Harvard et à Berlin avant de rejoindre la Fondation Carnegie. Je remercie au passage Jérôme Hoffman de m'avoir fait connaître ce rapport.

de la « médecine de la maladie », plus lucrative et portée par de puissants intérêts financiers (entre autres pharmaceutiques). Il fut aussi accusé de s'être détourné de la prévention, de l'éducation populaire et de la préservation de la santé, qui allaient d'ailleurs rester les parents pauvres de l'enseignement et de la recherche pour des décennies. Certains ont aussi souligné un élitisme, qui, en élevant les critères d'admission dans les facultés, allait favoriser une médecine blanche et masculine.

Le rapport prônait également une diplomation cohérente et une conception moderne de l'enseignement, dispensé désormais en milieu universitaire et non dans les cabinets de médecins. La médecine allopathique allait ainsi établir son emprise, ce qui l'éloignerait des gens ordinaires, qui remettaient pourtant leur vie entre les mains de ces praticiens promus aux plus hauts cercles de la science. Disposant d'un savoir unique, décliné dans un langage scientifique « codé », et d'un corpus de connaissances balisées – anatomie, histologie, pathologie, physiologie, biologie, chimie, pharmacologie –, la médecine allopathique allait se réserver deux actes fondamentaux : le diagnostic et le traitement des maladies, dont elle se ferait dès lors une jalouse gardienne. Les autres praticiens qui empiéteraient sur ce territoire sacré seraient d'ailleurs sujets à des poursuites pour « pratique illégale de la médecine ».

Dans toutes les cultures, ceux à qui l'on confie le rôle de « guérisseurs » entretiennent une relation mystérieuse avec leurs « patients » : mélange de confiance et de crainte, de mystère et d'abandon, d'obscurantisme et de science. Le pacte conclu avec la médecine allopathique n'est pas si différent. D'un côté, la société demande aux médecins de toujours agir dans le meilleur intérêt des patients, responsabilité exigeante inscrite au cœur même de la déontologie professionnelle. Les patients peuvent donc s'attendre à un croisement de rapports thérapeutiques et de dévouement professionnel. En retour, les médecins jouissent d'une position sociale enviable et de bonnes conditions de vie et de revenus. Et tout cela forme un tout indivisible, placé au cœur du pacte social de la médecine, auquel a jadis contribué le rapport Flexner.

Tous les médecins sont *redevables* de ce pacte, qui les engage profondément : face aux patients, à leurs collègues, aux autres professionnels de la santé, face aux hôpitaux, au Collège des médecins et même face à l'État. C'est une alliance complexe et multiforme, parfois difficile à assumer, mais qui soude les médecins aux patients et à la société dont ils sont issus. Il ne les lie toutefois pas aux entreprises du secteur de la santé, pharmaceutiques ou compagnies d'assurance, par exemple. Courtisés par ces lobbys aux moyens considérables, les médecins doivent garder à l'esprit de ne jamais trahir ce lien de confiance avec les patients.

La médecine est un pacte social et non un partenariat d'affaires. Notre société mise beaucoup sur les médecins et elle les accompagne toute leur vie dans leur désir de bien soigner : elle fournit un bon système scolaire, de grandes écoles de médecine, dont elle assume les coûts, elle préconise de hauts standards de pratique et maintient un réseau de soins parmi les meilleurs au monde. Tout cela vise à produire notamment des médecins compétents et une médecine de qualité.

Les médecins en sont redevables, même s'ils ont tendance à l'oublier. Plusieurs agissent comme des affranchis qui se seraient construits eux-mêmes, leurs qualités personnelles expliquant entièrement leur réussite et leur position sociale. Ils se sentent libres d'agir et de décider qui, où et quand ils vont soigner. Mais cette liberté n'est qu'une illusion, une fausse perspective en fait : le médecin n'a d'autre choix que de s'engager, car il doit presque tout à la société dont il est issu. Une vie médicale réussie, c'est d'abord ce grand engagement[2]. Aider les gens, améliorer leur santé, les soulager souvent, les sauver parfois, n'est-ce pas là remplir notre part de ce contrat social ? C'est déjà beaucoup, mais je ne pense pas que ce soit suffisant.

Certes, les gestes médicaux, les diagnostics et les traitements aident à prolonger la vie, mais il faut garder en tête que ce n'est pas le facteur principal de la longévité moderne. On accorde à la médecine la responsabilité du quart de l'allongement notable de l'espérance de vie survenu au xxe siècle[3]. Sur 30 ans de longévité accrue, moins de 8 seraient donc attribuables aux prouesses médicales[4].

Alors, quels sont les déterminants de la santé et de la longévité, au-delà des soins et des services de santé ? C'est simple et irréfutable : le revenu et le statut social, l'emploi et les conditions de travail, les réseaux de soutien et la redistribution de la richesse, l'éducation et l'environnement social et physique, les habitudes de vie, la petite enfance et le patrimoine génétique. L'effet de tous ces facteurs est bien plus important que le

---

2. Ce mot parfois galvaudé, provenant du latin médiéval *engagier*, a signifié d'abord « mettre en gage », puis « entrer en action ». Au siècle dernier, le terme a pris le sens de « prendre position sur des problèmes politiques ». Or, la médecine *est* politique, elle se déploie en effet dans la *polis*, la cité, que nous habitons comme chacun de nos patients.

3. Nortin M. Hadler, *Malades d'inquiétude*, traduit de l'américain par le Dr Fernand Turcotte, Québec, Presses de l'Université Laval, 2010.

4. Alain Poirier, directeur de la Santé publique, en entrevue avec Michel Désautels, à Radio-Canada, le 13 juin 2012.

dernier test, le nouveau médicament ou le scanneur de quatrième génération.

Le champ de pratique des médecins est d'abord le diagnostic et le traitement des maladies. Mais il leur faut aussi conserver une grande sensibilité pour ce qui se passe autour et agir au-delà de la médecine ; il leur faut s'engager afin d'influer aussi sur les déterminants de la santé que je viens de citer, auxquels la solidarité humaine contribue bien davantage que la confrérie médicale. Et dans cette solidarité concrète, la part qui devrait tenir le plus à cœur aux médecins, à *tous* les médecins, c'est notre système de santé public lui-même.

Je ne suis pas entré dans tous ces détails avec les étudiants d'Ottawa. Ils hochaient la tête, pensifs et comme rassurés : certes, le plus dur était fait, mais le plus important, encore, serait de ne jamais perdre cette sensibilité, qui demeure le meilleur outil pour soigner, accompagner, soulager – bref pour pratiquer la médecine, ce curieux métier qu'ils avaient un jour choisi, peut-être par hasard comme moi.

Et pour garder vivante cette sensibilité, je leur ai conseillé de s'engager. Comme médecins certes, mais aussi comme citoyens. Et de rendre ainsi à la société un peu de ce qui leur avait permis de se retrouver là, sur ces bancs où ils commençaient maintenant une nouvelle vie, un peu de ce qu'on appelle le bien commun.

Dessine-moi une urgence[*]

« L E LAVABO DÉBORDE ! » Ma blonde venait de me tirer brutalement du sommeil. Où étais-je ? Je ne reconnaissais plus rien. Ah oui ! Le condo que nous avions loué quelques jours plus tôt à Longueuil. Mais quelle heure était-il ? Quinze heures quarante. Comment ? Mon premier quart de travail à l'urgence débutait à 16 heures !

J'ai couru avec elle jusqu'à la cuisine, où l'eau dégoulinait sur le plancher. Prenant ce qui nous tombait sous la main, nous avons tout épongé, tant bien que mal, puis je me suis jeté sous la douche. Il faut croire que j'étais un peu tendu en ce 2 juillet 1990, jour inaugural de ma carrière d'urgentologue, pour avoir décidé de faire une sieste alors que j'avais commencé à rincer la vaisselle.

Ma douche terminée, j'ai enfilé des vêtements et suis sorti en courant. « À ce soir ! » ai-je crié en dévalant l'escalier. En quelques minutes, j'étais rendu à l'urgence de l'hôpital Pierre-Boucher, encore fébrile. Sur place, j'ai salué les gens puis enfilé mon *scrub,* avant de me mettre le stéthoscope autour du cou, comme le veut le décorum. Puis j'ai respiré profondément, je me suis dirigé vers l'énorme pile de dossiers, j'ai saisi le premier et j'ai marché d'un pas de conquérant vers la civière numéro 1, où m'attendait mon tout premier patient. Un grand moment.

Mais je n'ai pas eu le temps de lever la tête : un homme furieux est passé en coup de vent, gesticulant d'une main et se

---

[*] Une version antérieure de ce texte a paru en novembre 2009 dans la revue *Urgence pratique*, en France. Le texte a été entièrement réécrit pour la présente édition.

tenant le nez de l'autre : « J'm'en vas, câlisse ! » Il ne sentait pas bon, était saoul et avait failli me marcher sur le pied. Je me suis arrêté, perplexe, jetant un coup d'œil au dossier : « Traumatisme au nez. A reçu un coup de poing. » Les infirmières s'efforçaient de garder leur sérieux. Que devais-je faire ? Je me suis retourné, mais il n'était déjà plus là et n'est jamais revenu. J'ai inscrit : « Parti avant mon évaluation médicale. »

On a les débuts de carrière qu'on peut. Je n'allais pas me laisser démonter pour autant ! J'ai pris le second dossier, « lacération à la cuisse », et j'ai marché jusqu'à la salle à points, où m'attendait sagement une sympathique jeune femme. Les présentations faites, je me suis affairé. Au bout de 20 minutes, la plaie était joliment réparée, et la patiente, reconnaissante. Ouf ! La glace était brisée. Au suivant ! Je ne me souviens plus des autres patients. Et je suis rentré à la maison, fourbu, vers une heure du matin.

Voilà le beau métier qui fait ma joie depuis plus de 22 ans et qui ne ressemble pas tellement au cours de biologie fondamentale que nous avait servi Paul Lévesque : il s'agit plutôt de soigner les patients des urgences, tout simplement, au quotidien, dans la réalité la plus intime, mais aussi parfois dans une extrême intensité. C'est un curieux métier, que je ne pense pas avoir choisi, c'est plutôt lui qui m'a choisi.

Je m'y suis toujours bien senti, voilà tout. Je ne sais même pas pourquoi. J'emploie le mot « métier », mais j'avoue n'avoir jamais eu, même une seconde, l'impression de « travailler ». Chaque rencontre avec un patient est unique, chacun d'eux m'apporte quelque chose de nouveau, ne serait-ce que le plaisir de l'écouter ou de comprendre comment il vit et pourquoi il s'inquiète.

Et puis le temps qui passe, comme chacun sait, a passé. Et en 1999, après quelque chose comme 1 400 quarts de travail et sans doute plus de 25 000 patients évalués, sauvés, perdus, réconfortés, de tous les âges et de tous les genres, alors que je pratiquais encore avec la même ferveur dans cette urgence générale où tout arrivait, voilà qu'un bel après-midi de printemps, je disais bonsoir au dernier patient que j'y rencontrerais. C'est qu'au bout de ces neuf années, dont cinq comme chef de service, j'allais quitter cet hôpital pour gagner, quelques semaines plus tard, l'Institut de cardiologie de Montréal.

En 1997, en effet, le Dr François Gauthier, directeur des services professionnels de l'Institut, m'avait contacté à la maison. Une cardiologue de Pierre-Boucher lui avait donné mon numéro. Il avait pour moi une mission : tout le monde s'interrogeait là-bas sur l'avenir de l'urgence et il voulait connaître mon opinion. Ayant quitté depuis quelques mois la direction de l'urgence de Pierre-Boucher, j'avais maintenant un peu de temps libre. Répondre à une telle question n'engageait pas à grand-chose. Je n'avais pas songé que cela m'ouvrirait une seconde vie professionnelle et me permettrait de participer à la mise sur pied d'un nouveau service de médecine d'urgence, d'en redessiner de fond en comble les lieux, de réinventer avec toute une équipe son fonctionnement et même d'y contribuer au développement d'un système d'information clinique avancé. Bref, j'allais pouvoir accomplir en toute liberté ce dont beaucoup rêvent, mais qui arrive rarement : réinventer collectivement une salle d'urgence.

Mais à ce moment-là, on ne savait même pas ce qu'il allait advenir de cette urgence. Et je me suis vite aperçu que ces questionnements venaient de loin : l'illustre fondateur de l'Institut, le cardiologue et sénateur Paul David, n'avait pas prévu de salle d'urgence pour son petit hôpital aux grandes ambitions, aujourd'hui l'un des meilleurs centres de cardiologie au monde. Pourquoi en effet en construire une, alors que l'Institut visait plutôt un rôle de centre de référence? Précisons qu'on était dans les années 1960, soit bien avant le développement fulgurant de la cardiologie d'intervention. Pourtant, dès le début, les ambulances amenaient des patients, qui étaient dirigés, tant bien que mal, vers le quatrième étage. Il fallait parfois monter un patient en arrêt cardiaque par l'ascenseur. Les patients capables de se déplacer, qui n'avaient pas de rendez-vous, se voyaient orientés vers la clinique externe.

Dans les années 1980, on a graduellement compris l'importance cruciale du traitement rapide des urgences cardiaques, particulièrement de l'infarctus du myocarde, notamment grâce aux recherches menées à l'Institut par des cardiologues de grande renommée comme le Dr Pierre Théroux. On n'avait plus le choix: il fallait non seulement conserver l'urgence, mais également construire des lieux plus appropriés et concevoir un fonctionnement plus efficace. En 1987, bien avant mon arrivée, on avait terminé la construction de ce qui ressemblait un peu plus à une salle d'urgence – même si, honnêtement, on était loin du compte.

Par la suite, tout au long des années 1990, on a tout de même continué à s'interroger sur la place de l'urgence, à cause de nouvelles réalités parfois difficiles à maîtriser: vieillissement des patients, complexification des maladies, évolution rapide des soins. Plusieurs options étaient sur la table: continuer avec le même modèle où les cardiologues soignaient tous les cas, miser sur une équipe d'urgentologues ou encore fermer boutique.

Les débats faisaient rage, chaque option ayant ses partisans et ses détracteurs. Au terme de vives discussions, on avait consenti d'un commun accord au mandat que j'avais reçu.

Avec un patronyme comme le mien, j'étais la personne tout indiquée pour aider l'Institut à clarifier ses besoins. Et, dès le premier contact, j'avais senti que le milieu était mûr pour développer la médecine d'urgence consacrée aux urgences cardiaques. Aussi, après avoir fait le tour de la question, rencontré un peu tout le monde, réfléchi longuement, mes conclusions allaient être plutôt simples : l'Institut devait créer un département de médecine d'urgence, réorganiser physiquement les lieux et recruter des urgentologues pour prendre en charge les patients et le développement des soins d'urgence cardiaques, l'enseignement et la recherche. J'ai remis mon rapport et m'en suis retourné à mes patients de la Rive-Sud, où j'étais toujours heureux.

C'est en 1999 que j'ai reçu un second coup de téléphone de l'Institut, alors que je n'y pensais plus, tout absorbé par mon travail. Cette fois, la proposition était différente, il ne s'agissait plus d'un mandat de consultant, mais bien de prendre en charge le développement d'un nouveau service de médecine d'urgence. Je n'avais pas prévu ça. Mais comment diable refuser cette offre que j'avais moi-même contribué à susciter ? Décision difficile qui me rappelait mon choix « médecine ou mathématiques » 17 ans plus tôt. Il n'y avait pas de mauvaise réponse, et si je disais oui, mon destin allait changer de nouveau.

J'adorais mon travail à Pierre-Boucher, mais en même temps, j'en avais fait le tour, j'avais tout vu, tout entendu, tout fait, tout soigné. Les défis commençaient à me manquer et je sentais bien que l'occasion de créer, à partir de rien, une équipe d'urgence, dans un milieu où tout était à faire, ne se présente-rait pas deux fois. Alors un soir, dans une lettre à mes collègues intitulée « Lettre de décision », j'ai expliqué que j'allais les quit-ter dans quelques mois, que la page était déjà tournée dans ma tête. Ce fut un moment d'émotion. Mais je ne suis pas du genre nostalgique.

Aussi, le 1er avril 1999, fraîchement débarqué, je visitai mon nouvel hôpital avec le Dr Mario Talajic, chef du département de médecine. Cela aurait dû être un moment d'enthousiasme, mais… d'un étage à l'autre, tout le monde pleurait. On m'expli-qua que l'illustre fondateur Paul David vivait ses dernières heures, inconscient. Ironie du sort, celui qui n'avait jamais voulu d'une urgence allait s'éteindre le jour même où débarquait le premier urgentologue, victime des complications d'un médi-cament dont il avait contribué à répandre l'usage en cardiologie.

Quelques mois plus tard, j'arrivai à l'urgence pour prendre mon premier vrai quart de travail, sous les regards inquiets d'infirmières qui n'avaient travaillé jusque-là qu'avec des car-diologues et pour qui j'étais une sorte d'intrus. Mais j'avais la couenne dure. J'ai appelé mon premier patient dans le petit bureau de l'ambulatoire. Quand j'ai ouvert le dossier, j'ai eu un vertige : il participait à l'un des nombreux projets de recherche en cours à l'Institut du Dr Théroux, le cardiologue qui se trou-vait le même jour à l'urgence comme consultant. Diable, j'avais intérêt à bien faire mon travail !

Le patient et moi-même avons survécu, et j'ai rapidement appris à aimer ce milieu intense, complexe, résolument orienté vers la recherche et l'enseignement. Je me suis aussi habitué à cette médecine particulière qui m'a permis de renouveler mes connaissances en cardiologie, tout en développant des affinités avec ces patients attachants. Et puis le temps qui passe a passé, de nouveau. Plus de 13 ans que j'y suis. C'est mon milieu de travail principal et j'en assume toujours la direction médicale. « J'y suis, j'y suis toujours », comme disait le poète.

La plus intéressante de mes expériences professionnelles y fut de travailler avec l'infirmière-chef Danielle Perreault, jusqu'à sa retraite en 2011. Sans l'ombre d'un doute l'une des gestionnaires d'urgence les plus douées du Québec, elle était une vraie dynamo. Durant toutes ces années, nous avons réfléchi à l'amélioration des soins, à la transformation des processus, au développement d'une culture d'urgence moderne, à l'accueil des nouveaux urgentologues et à bien d'autres projets. Nous avons mis en œuvre de manière soutenue ce que nous avions baptisé notre « cogestion médico-*nursing* », dont nous n'étions pas peu fiers : ce n'était pas toujours facile de nous mettre d'accord, mais une fois sur la même longueur d'onde, la force de ce consensus était à peu près inébranlable et nous permettait d'accomplir bien des choses. Tout cela m'a fait vivre au fil des ans une expérience de gestion et de camaraderie hors norme.

L'équipe d'urgentologues s'est lentement constituée, soignant avec moi les patients, étant amené ultérieurement à enseigner à une trentaine de stagiaires chaque année et à développer des activités de recherche. Même si cela n'est pas toujours allé de soi. Durant les premières années, une réserve persistait dans l'esprit de certains cardiologues. Il y eut quelques frictions. La transition n'était d'évidence pas achevée. Il fallait autre chose, une thérapie de choc, une catharsis. Ce qui allait survenir à l'été 2003.

Les lieux étaient alors assez misérables, je le rappelle. Pas de place pour travailler, des patients à un mètre du poste. Quand un patient en arrêt cardiaque arrivait en ambulance, on lui faisait traverser la salle d'attente, massage cardiaque en cours au nez de patients pâles et médusés qui prenaient souvent *illico* la décision d'arrêter de fumer, puis on le poussait jusqu'au fond de l'urgence où il fallait déplacer tables, urinoirs et civières en vitesse pour éviter que tout ne se renverse, pour ensuite, après un virage à angle droit, le faire disparaître dans la salle de choc. Spectaculaire, certes, mais pas vraiment délicat ni pratique.

Nous attendions depuis 2001 l'autorisation de construire la nouvelle urgence, Graal des urgentologues qu'on n'obtient pas facilement, sans succès. Nous avons donc plutôt développé un projet de rénovation majeur : durant des mois, nous avons réfléchi, élaboré, planifié, consulté, écrit, validé, revu... bref, travaillé comme des forcenés. En 2003, la direction a accepté les plans que nous avions dessinés avec l'architecte de l'hôpital.

Nous croyions fermement à ce projet : refaire l'urgence en entier, la moderniser de fond en comble, déplacer la salle de choc près de l'entrée des ambulances, redéployer chaque secteur, créer un espace de travail à dimension humaine et même réussir, révolution ultime, à y intégrer mon bureau...

Il s'agissait maintenant de faire aboutir le tout. Les contraintes étaient grandes : un budget fixe et seulement trois semaines pour réaliser le tout, durant lesquelles l'urgence déménagerait au cinquième étage. Pas une journée de plus, sans quoi nous allions paralyser l'Institut.

On nous prédisait l'échec. Alors, on démarra sur les chapeaux des roues. Au jour J, on monta les patients *illico presto* au cinquième et la ruche commença à bourdonner. Danielle Perreault, coiffée d'un casque blanc, faisait la chef de chantier, l'architecte Benoit Bédard courait partout avec ses plans et moi, j'aidais de mon mieux. Une double équipe de travailleurs était sur le pied de guerre de jour, de soir, la semaine et le week-end. Quarante-huit heures avant l'ouverture, nous doutions encore, car nous n'avions toujours pas de plafond… mais nous avons réussi et l'urgence a rouvert, tout simplement.

Quel soulagement! Le pari était gagné, grâce au travail de damnés de toute l'équipe. Depuis ce jour, plus personne n'a vraiment remis en cause la présence d'urgentologues à l'Institut.

Et trois ans plus tard, en novembre 2006, nous avons relevé un autre défi: nous avons décidé de modifier notre fonctionnement clinique en profondeur en opérant un virage informatique qui allait faire de notre service, durant quelques années, un leader dans le développement complexe de ce qu'on appelle maintenant un dossier médical électronique (DME). Il faut croire que nous avions de l'énergie à revendre…

On ne parle jamais assez de tout ce qui fonctionne bien dans l'univers des soins. Un peu partout, de tels projets surgissent, portés par des passionnés un peu fous qui transforment les pratiques, améliorent la qualité des soins et démontrent que la volonté, la collaboration et l'esprit d'invention sont les meilleurs garants de la vitalité de notre système de santé.

Notre aventure prouve qu'on peut innover dans le réseau public, pour peu qu'on s'en donne la peine. Bien sûr que c'est beaucoup de travail. Nous avons pour notre part relevé des défis à l'urgence, tandis que l'Institut continue, à un autre niveau, à participer à la course mondiale du développement de la cardiologie moderne.

Deuxième partie

Éthique

Débattre en santé

Encore un débat compliqué

J E SUIS DEVENU peu à peu un défenseur de notre système de santé public, par choix et par nécessité. J'ai pris position dans le débat portant sur le privé en santé, qui est loin d'être terminé. Il y a plus de 40 ans, cependant, un autre débat enflammait le Québec, combat dont je n'ai gardé aucun souvenir – j'avais 6 ans ! Un vaste projet de société allait permettre de démocratiser l'accès aux services de santé par le biais de la couverture publique des soins médicaux.

C'est le 15 août 1967 que la commission Castonguay-Nepveu propose, comme toute première recommandation, l'instauration au Québec d'un régime complet et universel d'assurance maladie. Et lorsque le jeune Robert Bourassa prend le pouvoir le 29 avril 1970, après avoir fait de la réforme de la santé une de ses promesses majeures, il nomme Claude Castonguay ministre afin qu'il réalise lui-même sa réforme. Les travaux démarrent en trombe : à peine deux mois et demi plus tard, soit le 10 juillet 1970, l'Assemblée nationale vote la Loi sur l'assurance maladie.

Cela ne se fait pas sans heurts : alors que les médecins omnipraticiens acceptent le projet, les médecins spécialistes, eux, le refusent catégoriquement, allant même jusqu'à entamer une grève générale. Mais sous le coup d'une loi spéciale et en pleine Crise d'octobre, sans aucun soutien populaire de surcroît, les spécialistes rentrent au bercail. Non sans avoir arraché des concessions au ministre Castonguay, ouvrant notamment la porte à la création d'un réseau parallèle de cabinets privés.

La volonté de travailler pour le bien commun, aboutissement d'une décennie consacrée à moderniser le Québec, avait finalement triomphé. L'assurance maladie publique, avancée sociale remarquable, s'est ajoutée à l'assurance-hospitalisation, obtenue dix ans plus tôt. Elle allait permettre à chacun d'avoir accès gratuitement aux médecins, pour tous les soins et les services de santé médicalement requis.

Amenant les soins médicaux dans le giron du public, cette réforme a durablement transformé le visage de notre système de santé en permettant à des millions de citoyens de se faire suivre et soigner en fonction de leurs besoins de santé, en vertu du partage des risques encourus par chacun, peu importe ses moyens ou son état de santé.

Aujourd'hui, moins de deux générations plus tard, certains commentateurs qui se croient audacieux et avant-gardistes affirment que cette mutualisation n'était rien de moins qu'une erreur et qu'il faudrait revenir en arrière en redonnant plus de place au privé. On peut à bon droit se questionner sur leurs motifs. La saine gestion des finances publiques ? Épouvantail commode. Déplacer vers la droite notre modèle social ? C'est vraisemblable. La recherche du profit ? C'est fort probable. Un peu tout ça ? Pourquoi pas ! On entend également que c'est pour améliorer notre système de santé, mais cette position ne repose pas sur des arguments fondés, comme je le détaillerai plus loin.

Ceux qui défendent ardemment l'idée qu'il faut privatiser s'appuient d'abord sur la perception largement répandue (et qu'ils contribuent à diffuser) selon laquelle tout, vraiment tout, va mal aujourd'hui dans le secteur de la santé. Les médias ayant une forte tendance à dramatiser, il est parfois difficile de faire la part des choses.

Sans pour autant nier les difficultés, je suis bien loin de croire que nous soyons au bord du gouffre. Notre système de santé a des problèmes, je ne jouerai pas à l'optimiste qui ne voit que le bon côté des choses. Je ne suis ni aveugle ni sourd, j'ai les deux mains dedans depuis plus de 20 ans. J'y ai soigné des milliers de patients, j'ai occupé des postes divers, participé à des milliers de réunions, de mon urgence jusqu'au cœur du ministère de la Santé et des Services sociaux (MSSS).

Comme chacun, je vois les difficultés : attente à l'urgence, difficulté de se trouver un médecin de famille, manque d'infirmières, délais pour passer un test ou subir une chirurgie. J'ai moi-même souvent dénoncé les conditions de soins à l'urgence. Mais une fois qu'on a constaté et dénoncé comme on en a le devoir, on fait quoi ? Dresser un portrait noir du réseau est insuffisant et, surtout quand on y met rarement les pieds et qu'on ne sait pas trop de quoi on parle, peut contribuer à manipuler l'opinion publique.

Avant tout, à travers la cacophonie médiatique, il faut parler de ce qui va bien, ce qui est souvent le plus difficile. Il y a tellement de réussites dont on ne parle jamais ! Le réseau de la santé est immense et malgré ses difficultés, malgré la pression ressentie et l'énergie dépensée pour améliorer les choses, l'essentiel demeure : ce réseau qu'on dit bancal réussit à « produire » des centaines de milliers de chirurgies chaque année et autant d'hospitalisations, d'évaluations, de traitements ou de rendez-vous, tout cela avec le plus grand souci de qualité, le respect des meilleures normes et un très faible taux de complications. Il permet de diagnostiquer, de soigner et de suivre la santé d'une bonne part de la population. La vaste majorité des soins prodigués conduisent à d'excellents résultats, meilleurs que dans les autres systèmes de santé provinciaux canadiens, comme le montrait récemment une vaste étude sur les délais d'attente décrite plus loin. Et nos indicateurs de santé populationnels sont aussi parmi les meilleurs au monde. Ce sont des faits qu'on oublie trop souvent, des faits *têtus*. Juger le système de santé en faisant l'impasse sur toutes ces réussites, c'est comme comprendre le monde en ne regardant que les zones de guerre : c'est une vision partielle, qui aboutit à des constats erronés et à des solutions imaginaires. Il est essentiel de s'en dégager, d'adopter un point de vue plus large, de prendre du recul et de bien comprendre avant d'agir.

Même si on décrit souvent notre système de santé comme un navire en perdition, les faits montrent qu'en trois décennies, des gains énormes ont été réalisés, notamment une diminution majeure de ce qu'on appelle les « années potentielles de vie perdues » – une périphrase compliquée pour exprimer l'idée simple qu'on peut éviter que les gens ne meurent trop tôt. Cette mortalité *prématurée* a chuté de 45 % au Canada en 3 décennies. À cet égard, le Canada se classe troisième parmi les pays du G7, après le Japon et la France. D'autres exemples plus récents ? Le taux de mortalité à l'hôpital dans les 30 jours suivant une crise cardiaque est passé de 11,4 % à 7,8 %, en seulement 10 ans. Un gain du tiers, un gain majeur[5]. Plus récemment, la

---

5. Institut canadien d'information sur la santé (ICIS), « Indicateurs de santé 2012 », Ottawa, 2012.

mortalité canadienne due à des accidents vasculaires cérébraux (avc) est passée de 17,9 % à 15,2 %, en seulement 4 petites années. D'accord, vous me direz : qu'en est-il du Québec, où tout va *tellement* plus mal que partout ! Eh bien la baisse de la mortalité prématurée y était de 49 % pour la même période, soit plus importante qu'au Canada[6]. La moitié moins de mortalité prématurée en 30 ans dans un système qu'on dit voué à l'échec.

D'autres exemples ? Prenez la traumatologie : au Québec, en une vingtaine d'années, le taux de mortalité des grands poly-traumatisés, qui comprend surtout les accidentés de la route, a chuté de 52 % à moins de 9 %. Et notre espérance de vie ? Au Canada, elle est de 80,7 ans, dans le premier tiers des pays de l'ocde, près de celle de la France (81 ans) et 2 ans au-dessus de celle des États-Unis (78,2 ans). Nous avons gagné dix ans depuis 1960[7]. Quand je dis que le système de santé produit des résultats, ce n'est pas seulement une belle image, c'est rendre compte d'une réalité qu'on finit par oublier : il fonctionne, se développe et améliore la santé des gens.

Mais qu'en est-il du point de vue du patient ? Personne n'est satisfait des soins, dit-on. Eh bien non, ce n'est pas vrai. En réalité, la vaste majorité des études de satisfaction montrent que les patients qui reçoivent des soins dans les hôpitaux en sont largement satisfaits, non parce qu'ils sont stupides : tout simplement parce qu'ils sont bien soignés. Il est vrai que la population prise dans son ensemble, en incluant ceux qui n'utilisent pas beaucoup les services de santé, a une percep-tion beaucoup moins positive et dont il faut tenir compte.

---

6. ICIS, « Indicator Highlights for Media. Clinical Indicator Highlights Effectiveness (Quality and Outcomes) », Ottawa, 2012.

7. www.oecd.org/dataoecd/6/27/49105873.pdf

Mais le plus important, est-ce la perception du patient ou celle du voisin qui n'a jamais mis les pieds à l'hôpital? Et se pourrait-il que la propension de nos médias à mettre en avant les failles du système contribue à forger une opinion publique particulièrement négative?

Il y a des choses à améliorer, je ne le nie pas et j'y reviendrai souvent. Mais il y a aussi beaucoup de solutions possibles. Le financement peut être abordé dès maintenant. Il faut savoir que le Québec investit dans la santé moins d'argent par habitant que la moyenne canadienne, et moins que beaucoup de pays comparables. Y a-t-il un lien avec les problèmes mentionnés? Sûrement. Mais si le système de santé québécois fait assez bien avec moins de ressources, comme le montrent les faits, c'est peut-être qu'il ne fonctionne pas si mal. Alors, imaginons si nos dépenses égalaient celles des autres provinces!

Le système devrait en effet être mieux financé. Il y a quelques années, on parlait encore de déséquilibre fiscal : l'argent était à Ottawa et les besoins, dans les provinces. Or, en 2007, le gouvernement du Québec, après avoir longtemps clamé qu'une contribution accrue du fédéral était requise pour continuer à offrir des services de qualité, a reçu à cette fin 700 millions de dollars récurrents d'Ottawa. A-t-il affecté cette somme au budget de la santé? Pas du tout! L'argent du déséquilibre fiscal s'est transformé en baisses d'impôt[8] – un choix qui allait non seulement priver le système de santé de ressources importantes, mais surtout remettre en question le concept même de déséquilibre,

---

8. Kathleen Lévesque, «Tout aux baisses d'impôt. Charest réserve à la classe moyenne la marge de manœuvre de 700 millions provenant d'Ottawa», *Le Devoir*, 21 mars 2007.

dès lors qu'on semblait ne plus avoir besoin de cet argent. La crise financière et la chute des surplus à Ottawa (explicables notamment par d'autres baisses d'impôt et de taxes) ont ensuite relégué cette idée aux oubliettes.

Il faut des solutions qui peuvent régler les problèmes et non les aggraver. De vraies solutions, qui sont d'ailleurs assez connues, auxquelles nous reviendrons à la fin de cet ouvrage, et non les « pseudo-solutions » que certains nomment joliment des « idées-poubelles[9] » – la plus galvaudée étant de croire que les « forces du privé » vont nous sortir de là, comme par miracle. De telles idées, souvent avancées par des promoteurs un brin démagogues, s'appuient sur des présupposés idéologiques et sur des intérêts à protéger, mais rarement sur des démonstrations factuelles. Elles proviennent parfois d'économistes qui transposent trop rapidement leur cadre de référence à l'univers de la santé. En voici un exemple récent : j'agissais à titre de modérateur au printemps 2012 sur un panel où se trouvait notamment l'économiste Claude Montmarquette. Ce fervent partisan du privé en santé affirmait sans sourciller qu'un ticket modérateur serait une bonne chose puisque, en vertu des lois du marché, les gens se préoccuperaient davantage de prévention. Vous devinez ce que j'en pense : les tickets modérateurs ont plutôt pour effet de retarder les consultations ambulatoires et les traitements, puis d'augmenter en conséquence la gravité des problèmes de santé et le coût des hospitalisations. Quant aux « abuseurs » qu'on prétend ainsi vouloir contrôler, il s'agit d'un groupe tout à fait marginal, ayant très peu d'impact réel sur les coûts.

---

9. Terme emprunté au chercheur Damien Contandriopoulos.

Ces « remèdes », qui ne reposent sur aucune évaluation rigoureuse des faits, ne sont que des opinions envers lesquelles il faut rester critique. Un signe qui ne trompe pas : les idées-poubelles offrent souvent l'apparence de la facilité, un petit changement et hop ! tout ira mieux ! Tandis que les vraies solutions sont souvent difficiles à appliquer, ont des effets structurants à long plutôt qu'à court terme, demandent de la réflexion et de l'engagement, supposent un vrai travail clinique, impliquent plusieurs disciplines et s'inspirent habituellement de principes compliqués comme l'intégration, la coordination, la coopération et la collaboration. Moins immédiatement séduisantes, ces solutions en valent pourtant bien davantage la peine.

Mais avant même de penser en termes d'efficacité, certaines réflexions préalables sont fondamentales lorsqu'on se préoccupe de la santé des gens. Elles sont de nature éthique et doivent absolument inspirer nos choix : qui a *droit* à des soins de santé ? Que voulons-nous pour notre famille, nos amis, nos voisins, et dans quel genre de société voulons-nous vivre avec eux ? Ces choix éthiques peuvent et doivent alimenter notre réflexion, même si les solutions à apporter sont également fonction des moyens dont nous disposons. *Chacun* a droit à des soins de qualité, peu importe ses moyens individuels. Il faut se donner les moyens collectifs de répondre à ces exigences élevées qui incarnent le bien commun. C'est un choix de société : le rôle premier de notre système de santé est de prendre en compte la diversité des risques de maladie et des moyens afin de s'assurer que chaque malade reçoive les soins appropriés. Et comme ces risques s'accroissent largement chez les moins fortunés, il faut doublement les soutenir.

Cette position éthique est à la base des systèmes de santé au Canada. Elle inspire les cinq conditions fondamentales et obligatoires définies dans la Loi canadienne sur la santé : *universalité, gestion publique, accessibilité, transférabilité et intégralité*[10]. Le résultat est sans équivoque et devrait être médité par tout politicien en mal de solutions : chacun a *droit* à *tous* les *services de santé hospitaliers et médicaux requis*, sans *obstacle financier*, peu importe où il se trouve, dans un cadre de gestion *public sans but lucratif*.

Plusieurs pensent que l'actuel gouvernement fédéral conservateur serait tenté de réduire l'application de ces conditions. Si c'était un jour le cas, il faudrait alors cesser de débattre et se préparer à se battre.

---

10. La définition complète des cinq conditions est la suivante : *universalité* : tous les résidents ont droit à des services de santé assurés prévus par le régime, selon des modalités uniformes. *Gestion publique* : le régime d'assurance maladie d'une province ou d'un territoire doit être géré sans but lucratif par une autorité publique. *Accessibilité* : aucun obstacle financier ou autre ne doit entraver l'accès satisfaisant des personnes assurées aux services requis dispensés par un hôpital et un médecin. *Transférabilité* : la condition de transférabilité doit prévoir le paiement des montants pour les coûts des services de santé lorsqu'une personne assurée déménage ou voyage au Canada, ou encore voyage à l'extérieur du pays. *Intégralité* : tous les services médicaux requis offerts par les hôpitaux et les médecins doivent être assurés.

Idéologie des idées logiques

L E DOCTEUR Paul Lévesque, qui m'avait jadis fait trembler avec son faux cours de biologie fondamentale, m'invita en 2007 à assister à l'assemblée d'une jeune organisation médicale progressiste, Médecins pour l'accès à la santé, qui défendait le système public. Frappé par la qualité de leur analyse, l'esprit critique déployé par les participants et leurs connaissances approfondies, je suis immédiatement devenu membre de l'organisation.

J'avais jusque-là surtout milité « pour » les urgences et la médecine d'urgence, prenant régulièrement position pour dénoncer, proposer, haranguer. Après une tournée éclairante d'une douzaine d'hôpitaux et de multiples rencontres avec des médecins, des infirmières, des gestionnaires et des dirigeants, tournée réalisée en 1999 avec mon ami Pierre Beaudet[11], nous avions brossé un tableau réaliste mais accablant de la situation dans le rapport « Projet Urgence 2000. De paratonnerre à plaque tournante[12] ». Les urgences n'avaient pas de mission bien définie dans le système de santé et les dirigeants d'hôpitaux ne percevaient pas qu'il s'agissait de « leurs » problèmes – c'étaient les problèmes « de l'urgence ». Une distinction qui nous avait étonnés. Il fallait changer la culture du réseau. Mais c'est une tout autre histoire, que je raconterai certainement un jour.

---

11. Consultant dans le réseau de la santé et coauteur du rapport.

12. Ce texte avait servi de base de discussion pour le Forum sur les urgences organisé par la ministre Pauline Marois en 1999, qui tentait d'ouvrir de nouvelles pistes de réflexion et d'action sur la question.

Si la relation complexe entre l'urgence, l'hôpital et le réseau de soins avait occupé jusque-là beaucoup de mes pensées, je découvrais dans cette assemblée une nouvelle perspective. Je me retrouvais un peu en porte-à-faux : l'analyse des menaces pesant sur notre système de santé dépassait largement mes compétences. Je n'ai pas hésité, j'avais beaucoup à apprendre et ces critiques semblaient fondées. Ce groupe s'attaquait à quelque chose d'essentiel : défendre à une échelle beaucoup plus vaste le système de santé.

Je milite depuis pour la défense du système de santé public au sein de l'organisation Médecins québécois pour le régime public (MQRP), que nous avons refondée en 2008, afin de mieux la structurer et de relancer la réflexion sur le système de santé. Pourquoi avoir changé le nom de l'organisation ? Parce que l'enjeu le plus grave et le plus pressant nous paraissait la préservation du système de santé public et l'opposition à une vague de changements législatifs qui risquaient de mener à sa privatisation.

Mais pourquoi donc se battre et passer tout ce temps à étudier ces questions, à écrire et à corriger je ne sais combien de textes, à publier des lettres ouvertes, à rencontrer des partenaires, à imaginer des actions ? Idéalisme, angélisme ou aveuglement ? Ou simple volonté d'engagement dans le métier que j'avais choisi ? Des sceptiques pourraient proposer une autre explication : n'était-ce pas un signe *d'idéologie* ? Horreur ! Souffrirais-je moi-même de cette épouvantable tare ? Certains commentateurs affirment que le débat public/privé est en effet purement idéologique et que les positions de droite et de gauche ne seront jamais conciliables. Mais je refuse cette vision réductrice des choses.

Je l'admets, les fondements éthiques de ma réflexion sont idéologiques. Par exemple, cette idée franchement subversive du *bien commun,* regrettable axiome indémontrable et futile. Un fait demeure pourtant : le régime public fonctionne, coûte moins cher et produit de meilleurs résultats.

Mais ceux qui souhaitent plutôt élargir la place du privé en santé, pourquoi le font-ils ? Par pragmatisme, réalisme et lucidité, puisqu'on ne soupçonnerait jamais un penseur de droite d'être autre chose qu'un empiriste recherchant les meilleures solutions ? C'est souvent ce qu'ils pensent d'eux-mêmes ! Renversons un moment la perspective : si je vous dis que je travaille au maintien d'un système de santé public par pragmatisme, réalisme et lucidité, est-ce que je vous surprends ? Et si j'accuse ceux qui poussent sans relâche à la privatisation des soins d'agir par idéologie ?

Tout débat s'appuie sur des valeurs et une façon de voir le monde. Mais on peut parler du bien commun d'un point de vue pragmatique, en rappelant que le partage est aussi essentiel à la survie que l'agressivité, la peur ou le besoin de se reproduire. D'un côté, la loi du plus fort, la volonté de puissance, la suprématie des droits individuels, le capitalisme sauvage – ce qu'on appelle aussi la droite ; de l'autre, la coopération, la collaboration, l'entraide, le partage, les droits collectifs, le collectivisme – ce qu'on appelle aussi la gauche. Toute l'aventure humaine oscille entre ces pôles. L'histoire classique nous transmet surtout son interprétation au prisme du pouvoir et de la guerre, mais heureusement, une histoire populaire commence à émerger, comme dans ce remarquable ouvrage de Howard Zinn racontant les États-Unis sous l'angle des luttes populaires[13].

---

13. Howard Zinn, *Une histoire populaire des États-Unis,* Montréal, Lux, 2006.

On y voit que la cohésion sociale et l'entraide occupent la part essentielle du développement des sociétés, même si elle est souvent occultée. Je crois que les communautés durent dans le temps justement parce que l'entraide favorise la survie du groupe, permet de mieux contrer les menaces et facilite la recherche de solutions.

Justement, le modèle contemporain de redistribution de la richesse, basé sur l'impôt, la mise en commun des ressources et les systèmes d'assurances collectives qui permettent de mieux répartir le risque associé aux problèmes de santé sont l'expression la plus actuelle de notre sens communautaire ancestral.

Suivez l'argent

L'ARGENT MÈNE le monde, comme chacun sait. C'est vrai partout, donc aussi en santé. Il faut d'ailleurs de l'argent pour bien soigner, beaucoup d'argent. Mais cet argent, d'où vient-il et où va-t-il? Autrement dit: comment finance-t-on notre système de santé et comment paye-t-on la prestation de soins?

Tout système de santé comporte une part publique et une part privée de financement, ainsi qu'une part publique et une part privée de prestations de soins. Dans un régime comme le nôtre, la part publique prédomine, les taxes et les impôts recueillis par le gouvernement retournant sur le terrain dans une prestation de soins majoritairement publique. Le financement provient des travailleurs et des entreprises, qui rendent disponible une partie de leurs avoirs pour offrir ce service à l'ensemble de la collectivité. Ce qui n'est d'ailleurs pas un mauvais investissement d'un strict point de vue comptable, puisqu'un bon système favorise la santé des travailleurs et donc la santé de l'économie. De plus, on l'oublie souvent, le monde de la santé est un des plus importants secteurs économiques: au Canada, 11,9 % de tous les emplois y sont directement ou indirectement liés. C'est majeur! Investir dans la santé, c'est donc aussi investir dans l'économie.

Pour ce qui est des régimes dits « privés », il faut d'abord voir qu'il y a souvent une nette exagération: les systèmes « privés » sont beaucoup moins privés qu'ils n'en ont l'air. Certains jugent d'ailleurs qu'un système de santé n'est vraiment viable que si une large part de son financement est public. Même aux États-

Unis, où l'on trouve pourtant un des régimes de soins les plus privés, le financement public direct atteint 48 %. On a en effet tendance à oublier les deux programmes publics de soins que sont Medicaid, pour les personnes à faible revenu, et Medicare, pour les gens âgés de 65 ans et plus. D'ailleurs, si on ajoute la part liée aux remboursements par crédit d'impôt des assurances privées, on atteindrait apparemment environ 60 % de financement public. Le champion du privé en santé est donc largement financé par le public. Pour ce qui est de la prestation des soins hospitaliers, elle y est dispensée principalement par des hôpitaux privés, à but lucratif ou non. Sous d'autres régimes, en France par exemple, les mutuelles jouent un rôle important dans le financement, sauf pour l'hospitalisation. Une multitude de variantes sont possibles d'un régime à l'autre, ce qui oblige à la plus grande prudence quand il s'agit de les comparer.

Au Canada, 70 % du financement des soins est d'origine publique, c'est-à-dire gouvernemental, contre 30 % provenant d'assurances privées ou directement de la poche des utilisateurs. Premier constat fondamental : avec ces 30 %, la part du privé y est plus élevée que dans la plupart des pays de l'OCDE, notamment la majorité des pays d'Europe. Il vaut la peine de le souligner : notre système de santé, que certains commentateurs imaginatifs qualifient de cubain, est en réalité un des plus *privés* qui soient, même si le secteur hospitalier et celui des soins médicaux sont chez nous entièrement financés par le régime public, alors que d'autres services ne sont pas du tout couverts.

L'argent du système de santé provient de la poche des personnes physiques ou morales sous forme de taxes et d'impôts. Dans notre système de santé, la part du financement transitant par le gouvernement permet à celui-ci de jouer un rôle essentiel de redistribution de la richesse et de partage du risque. Un risque bien réel, faut-il le souligner : les coûts énormes associés aux soins sont une cause majeure de faillites aux États-Unis[14], tout comme au Québec avant l'arrivée de l'assurance-hospitalisation. La prise en charge collective de ces dépenses a constitué une avancée sociale et économique majeure.

Il est toujours surprenant de calculer les coûts des soins chez nos voisins du Sud. Récemment, j'ai reçu à l'urgence un patient traité trois jours dans un hôpital de Floride pour de l'angine. Des soins que je pourrais qualifier de « simples » : hospitalisation, prises de sang, radiologie, cathétérisme cardiaque, dilatation d'artères, congé. Aucune complication. Ce qu'on fait à l'Institut de cardiologie au moins 40 fois par jour. Par curiosité, j'ai demandé au patient de me montrer ses factures, et il m'a permis d'en faire des copies. Tarif total ? 126 870 dollars américains ! Prises de sang simples à l'arrivée : 4 000 dollars environ ; séjour aux soins intensifs, les « premières 30 à 74 minutes » : 2 168 dollars ; cathétérisme cardiaque : 68 647 dollars. Ah oui ! Deux électrocardiogrammes (vous savez, ce qui prend une minute environ à faire à l'urgence) : 871,94 dollars ! Etc. Mon patient ignorait si ses assurances allaient rembourser la totalité de ces montants pharaoniques…

Au-delà de l'aspect purement éthique, on oublie souvent que la solidarité sociale est en elle-même un des déterminants importants du niveau de santé général des populations : moins il y a d'inégalités dans une société, plus les gens vivent vieux, et

---

14. Thomas Mulcair, *Planification et partenariat dans le domaine des soins de santé, de l'environnement et de l'économie*, Washington (DC), Centre Woodrow Wilson, 3 juin 2009.

ce, pour une richesse moyenne comparable. Par ailleurs, de manière encore plus évidente, naître et vivre dans un quartier défavorisé plutôt que dans un quartier riche double certains risques de mortalité ; cela peut même atteindre, pour les hommes, des taux de mortalité jusqu'à quatre fois plus élevés[15].

Lorsque le gouvernement règle la facture des soins avec nos impôts et nos taxes, on parle de redistribution. Mais lorsqu'il ne la règle pas, c'est le principe de l'*utilisateur-payeur* qui s'applique : pour payer des soins non couverts par le régime public, on peut souscrire des assurances privées. Elles sont dites « complémentaires » chez nous, parce qu'elles ne s'appliquent *qu'à ce qui n'est pas couvert par le régime public*, administré par la Régie de l'assurance maladie du Québec (RAMQ)[16]. Il faut préciser qu'au Québec, est couvert par le régime public tout ce qui est « médicalement requis », ce qui comprend les tests et interventions susceptibles d'améliorer la santé. Ainsi, une grande part des soins échappe aux assurances privées : il est par exemple interdit d'assurer quelqu'un pour une chirurgie cardiaque ou une radiographie des poumons, interventions couvertes par le régime public. L'importance du domaine qui échappe au marché des assurances donne une idée des pressions qu'il peut exercer pour faire changer ces règles… Mais, bien sûr, l'objectif de ces compagnies est pétri de noblesse : « sauver » le système de santé, qui s'essoufflerait à bout de fonds publics, alors que des fonds privés sont « disponibles » et pourraient fructifier généreusement pour leurs actionnaires ! Plusieurs groupes d'intérêts organisés, efficaces et disposant de puissants moyens, souhaitent

---

15. ICIS, « Indicateurs de santé 2012 », *op. cit.*
16. Sauf certaines exceptions depuis 2005, qu'on discutera plus loin.

vraiment accaparer ce marché du financement privé de la santé, évalué à au moins 2 milliards annuellement pour le seul Québec. Mais pour obtenir ces changements, il faut d'abord convaincre le gouvernement et la population de leur nécessité : pour ces lobbys, les gouvernements devraient renoncer à leur « mainmise » sur les services de santé – sans préciser que cette mainmise, c'est la nôtre ! Ce qui me fait penser au curieux titre du livre de mon collègue, le Dr Yves Lamontagne, *Et si le système de santé vous appartenait*[17]. Or, le système de santé *nous* appartient déjà ! Et les citoyens tiennent par-dessus tout à *leur* système de santé public. Ils protègent donc logiquement leur bien. Alors, afin de permettre des changements, il faut d'abord s'employer à transformer cette opinion publique réfractaire, en martelant jour après jour que tout va tellement mal dans le système de santé que le financement privé est LA solution.

Quant à l'idée d'un « ticket modérateur » provenant directement de la poche des patients pour recevoir des soins, le gouvernement a voulu l'imposer en 2010, mais l'idée a été combattue par les organisations médicales, à l'instigation de MQRP. Elle fut rapidement abandonnée, d'autant plus qu'elle aurait entraîné une diminution punitive des transferts fédéraux en santé parce qu'elle contrevenait aux conditions prescrites par la Loi canadienne sur la santé. La *contribution santé*, qui a survécu, n'est pas un ticket modérateur parce qu'elle n'est pas liée aux soins reçus : il s'agit plutôt d'un impôt régressif, non modulé sur le revenu ; elle rapportera près de 1 milliard en 2012-2013, un montant qui se rapproche de la baisse d'impôt

---

17. Yves Lamontagne, *Et si le système de santé vous appartenait*, Montréal, Québec Amérique, 2006.

de 700 millions de dollars de 2008... Alors quoi? Non seulement on donne d'une main et on reprend de l'autre, mais on
affaiblit la contribution «progressiste» (l'impôt) pour la remplacer par un impôt «régressif» (la contribution santé). Ne
cherchez pas l'erreur, il n'y en a pas; il n'y a que de l'idéologie.
Pourtant, les soins médicaux et hospitaliers sans frais modérateur, sans co-paiement ni franchise d'aucune sorte, sont ceux
dont les coûts ont le *moins* augmenté dans les dépenses de programme du Québec depuis 1975. Peut-être parce que c'est une
bonne formule.

Certains aiment beaucoup dénoncer «l'extrême gratuité»
de notre système de santé, comme s'il s'agissait d'une exception. On l'a vu, du côté du financement, ça ne tient pas la route:
nous finançons plus le «privé» que la majorité des pays comparables de l'ocde. Mais à l'égard de ce qu'on appelle la «quote-
part», soit le montant que doit directement verser la personne
qui reçoit des soins, sous forme d'un ticket modérateur ou de
tout autre frais, nous sommes loin de Cuba. Les montants directement versés par les gens sont-ils au moins inférieurs à ce qu'on
trouve par exemple en Europe? Pas du tout! Au Canada, ces
frais directs sont en réalité *supérieurs* à ceux de beaucoup de
pays d'Europe, mais répartis différemment.

L'argent chemine ensuite jusqu'à la *prestation de soins*, beaucoup plus complexe dans son organisation et sa finalité. Première caractéristique: il y a chez nous, comme dans la vaste
majorité des systèmes de santé, une place pour la prestation
privée en première ligne. En effet, même dans les systèmes largement publics comme le nôtre, les prestataires des soins de
proximité sont des médecins de famille œuvrant en cabinets
dits «privés» – qu'on devrait peut-être renommer «privés

conventionnés », puisqu'ils sont encadrés par l'État. Cette composante « privée conventionnée » joue un rôle fondamental dans la dispensation des soins courants, même s'il persiste des zones grises, liées justement à la nature privée de la relation médecin-patient, notamment le fait qu'il n'est pas facile de bien évaluer la nature et l'impact des soins prodigués. Point fondamental : c'est l'État qui rémunère les médecins et non le patient, sauf pour certains frais accessoires non couverts par le régime public et qui sont marginaux – ou plutôt qui devraient être marginaux.

Quant à la prestation « privée-privée », moins encadrée par l'État et qu'on pourrait surnommer « privée non conventionnée », elle demeure une exception, réservée aux médecins « désengagés » de la RAMQ, soit environ 1,1 % des médecins du Québec, surtout omnipraticiens, mais leur nombre est toutefois en croissance depuis quelques années. Pour obtenir des soins médicalement requis auprès de ces médecins, le patient doit payer de sa poche. Les assurances privées ne peuvent rembourser le patient ni payer le médecin. Enfin, au-delà des soins médicalement requis, il y a tous les autres soins, qui ne sont pas couverts par la RAMQ et peuvent être dispensés par n'importe quel praticien compétent en la matière.

De nouveaux modèles prometteurs « privés conventionnés » émergent depuis quelques années, dont celui des Groupes de médecine familiale (GMF), qui ont l'avantage d'offrir une prestation de soins plus large, interdisciplinaire et collaborative. Quant aux Centres locaux de services communautaires (CLSC), services de type « publics-publics », ils sont beaucoup moins actifs dans cette niche des services ambulatoires courants, mais demeurent les mieux adaptés pour offrir des soins et services à domicile.

Par contre, des modèles sournois font leur apparition : des structures à but lucratif plus vastes, financées par le public, dans un univers où dominaient jusque-là ces cliniques de petite taille détenues par un ou quelques médecins. Les Centres médicaux spécialisés (CMS), par exemple, découlant de la loi 33 de Philippe Couillard, offrent une prestation de soins avancée, comme la chirurgie, dans une structure d'affaires contrôlée par des médecins, mais où des actionnaires non médecins peuvent faire partie du conseil d'administration. Ces centres souhaitent s'approprier une part de la prestation publique des hôpitaux, mais sans avoir fait la preuve d'une sécurité comparable[18], d'un coût moindre ou d'un impact significatif sur les temps d'attente. On met la charrue devant les bœufs en concluant des ententes de service dont le principal « mérite » est de favoriser leur croissance.

Le dossier des cliniques de fertilité est à cet égard éloquent : une couverture généreusement tarifée a permis leur croissance rapide, croissance dont se vantaient publiquement leurs gestionnaires… jusqu'au jour où les négociateurs de la FMSQ et du MSSS ont ramené leurs tarifs dans des limites plus raisonnables. Il est ici intéressant de voir que la couverture publique a permis un meilleur contrôle des coûts, ce qui pourrait s'appliquer à d'autres domaines, par exemple à la radiologie privée.

Enfin, on voit apparaître au Québec le phénomène des « chaînes » de cliniques « privées-privées » : les Cliniques Marc Lacroix, par exemple, en pleine croissance dans la région de Québec, ou ces groupes de radiologie qui possèdent chacun des dizaines de cliniques d'imagerie médicale.

---

18. Le Protecteur du citoyen a produit en 2008 un rapport sévère comportant 11 recommandations pour améliorer les soins à la clinique Rockland.

Ceux qui tireraient profit de changements dans le financement des soins de santé (les assureurs privés) ou dans la prestation (les propriétaires de cliniques à but lucratif) sont toujours convaincants. Ils paraissent travailler pour la population, pour l'accès, pour le contrôle des coûts, mais ils défendent essentiellement leur intérêt, ce qui pour une entreprise est d'ailleurs parfaitement légitime : c'est l'intérêt de l'actionnaire. Sauf que cet intérêt coïncide rarement avec celui des patients, qu'on doit pourtant placer tout en haut de l'échelle des valeurs.

Fichtre encore des chiffres

O N PEUT TOUT FAIRE avec les chiffres : les dresser comme des épouvantails, les brandir comme des pancartes, s'en gargariser ! Certains ne peuvent les digérer, ils leur donnent de l'insomnie, de l'urticaire ou de la constipation, selon leurs dispositions personnelles. Mais quoi qu'on fasse, les chiffres sont là pour rester, surtout dans le monde de la santé, alors aussi bien en clarifier quelques-uns.

Les chiffres permettent d'abord d'éclairer les enjeux, à condition de garder l'œil ouvert et une bonne vue d'ensemble : il est si facile, avec un ou deux gros chiffres pris hors contexte, de cacher la forêt des données essentielles. Et attention à l'interprétation proposée par certains économistes, qui raisonnent à propos de santé comme s'il s'agissait de vendre des voitures ou de la gomme à mâcher ! Il faudra bien qu'on nous explique un jour comment ceux qui ont été incapables d'anticiper la crise financière de 2008 s'y prennent pour prédire avec justesse nos dépenses de santé jusqu'en 2030. Peut-être voient-ils mieux de loin ?

Je vais essayer de donner du sens à quelques chiffres. D'abord, quand on parle des dépenses en santé au Québec, on parle de combien ? Pour l'exercice 2012-2013, selon les données du budget Bachand, les dépenses publiques en santé et services sociaux atteindront un peu plus de 30 milliards de dollars[19]. Mais attention à ce montant impressionnant, équivalant à près de la moitié des dépenses de programme de 63 milliards du gouvernement :

---

19. www.budget.finances.gouv.qc.ca/Budget/2012-2013/fr/documents/Planbudgetaire.pdf

62 % des dépenses du ministère sont dévolues à la santé, mais le reste va aux services sociaux[20]. Les soins de santé ne représentent donc pas la moitié, mais bien 30 % des dépenses de programmes, une proportion beaucoup plus raisonnable. La plus large portion de ces dépenses va aux soins et aux services hospitaliers.

Le chiffre qui effraie le plus est un simple pourcentage : celui de l'évolution des coûts de la santé, parfois décrite en des termes inventifs comme « exponentielle », « explosive » et « catastrophique ». Superlativement frappant. Mais qu'en est-il en réalité ? Pour la période 1975-2011, le taux de croissance moyen des dépenses en santé par habitant au Canada, en dollars constants et en excluant l'inflation générale, était de 2,4 % par année, une hausse qui apparaît raisonnable[21]. Première surprise !

Il est vrai que les coûts de la santé augmentent un peu plus vite que l'économie. Cela veut simplement dire que la santé est un « bien » dont la croissance est plus rapide que celle de la richesse nationale. L'automobile est dans la même situation, de même que l'immobilier, mais pas la nourriture, qui varie en sens inverse. Il faut ensuite distinguer les coûts publics des coûts privés. On peut comparer les coûts publics avec le produit intérieur brut (PIB), qui reflète mieux l'activité économique que les dépenses gouvernementales. Ce ratio des coûts publics en santé par rapport au PIB a augmenté légèrement avec les années, mais on est loin des scénarios de catastrophe

---

20. À partir de données calculées par la FMSQ pour 2010-2011, *Le spécialiste*, vol. 14, p. 19, janvier 2012.

21. Communication personnelle : calculs effectués par l'économiste Jean-Pierre Aubry à partir des données de 1975 à 2011 de l'ICIS.

décrits : dans les 30 dernières années, au Québec, il est passé de 6,85 % en 1981 à 7,63 % en 1991, 7,34 % en 2001 et 8,74 % en 2011[22], avec une tendance à la baisse sur la fin. Est-ce une croissance démesurée ? Je ne pense pas. Il n'y a pas de mur ! Seconde surprise !

Pour les prochaines années, les dépenses en santé et services sociaux connaîtront une croissance limitée, certaines compressions étant appliquées. Cette compression des dépenses gouvernementales, « nécessaire » pour financer les baisses d'impôt, fait augmenter la part relative des dépenses en santé dans le budget, ce qui donne l'impression d'une croissance plus forte. Mais si les dépenses en santé ne se dirigent pas vers un mur, entraîneront-elles les dépenses gouvernementales dans une spirale incontrôlable ? Pas davantage, semble-t-il : dans son budget 2012-2013, le ministre Raymond Bachand présente des projections de croissance des dépenses pour 2012-2013 et 2013-2014 de 2,0 % et 2,2 % respectivement[23], comprenant la hausse prévue pour la santé. Les finances publiques sont sous contrôle, tout comme les dépenses publiques en santé, même si les tentatives de contrôler la hausse pourraient faire mal.

Peut-être est-ce le déficit budgétaire qui explose ? Bien au contraire : cela devrait être de l'histoire ancienne dès 2013-2014, selon le plus récent budget Bachand. Mais la dette, dont on peut lire les chiffres alarmants sur le site de l'Institut économique de Montréal, explose sûrement ! Mais non, la dette n'explose pas particulièrement. Et ce n'est pas Léo-Paul Lauzon qui le dit, c'est le ministre Raymond Bachand lui-même, dans son

22. *Ibid.*
23. www.budget.finances.gouv.qc.ca/Budget/2012-2013/fr/documents/Graphiques_FR.pdf

discours du budget : le poids de la dette dans l'économie québécoise est actuellement stable. Ce ratio dette/PIB était d'ailleurs en diminution depuis une quinzaine d'années, ayant passé de 59,2 % en 1998 à 50,1 % en 2009, puis il a remonté jusqu'en 2013 à 55,3 % en raison de modifications des conventions comptables et de la récession de 2009, qui a nécessité des investissements pour relancer l'économie, mais il devrait redescendre à 52,1 % en 2017. Élevé, mais pas en explosion. Par contre, notre capacité de soutenir la croissance régulière des dépenses en santé pourrait être mise à mal par les décisions récentes du gouvernement Harper de couper la hausse des transferts fédéraux à partir de 2017, ce qu'il faudra combattre vigoureusement, surtout dans la mesure où les baisses d'impôt et de taxes en sont largement responsables.

Il est tentant de comparer ces hausses modestes avec celles, beaucoup plus inquiétantes, des dépenses *privées* en santé. Pour ces mêmes années, le ratio des dépenses privées sur le PIB est passé de 1,75 % en 1981 à 2,47 % en 1991, 2,86 % en 2001 et 3,66 % en 2011[24]. Troisième surprise, elles ont plus que doublé par rapport à la taille de l'économie, ce qui correspond à une hausse de 109 %. En comparaison, la hausse des dépenses publiques pour la même période de 30 ans n'est que de 27 %. Et c'est ce qu'on devrait prendre pour modèle pour la suite des choses ! J'y perds mon latin, qui n'est déjà pas ma force.

Si bien qu'au total, les dépenses privées et publiques en santé au Québec sont passées de 8,4 % du PIB en 1981 à 12,4 % du PIB en 2011, une hausse globale de 44 %, dont plus de la

---

24. Communication personnelle : calculs effectués par l'économiste Jean-Pierre Aubry à partir des données de 1975 à 2011 de l'ICIS.

moitié s'explique par cette croissance rapide des dépenses privées. La part privée dans les dépenses totales en santé au Québec est donc passée de 20,3 % en 1981 à 29,5 % en 2011. La leçon que j'en retiens ? Si les dépenses publiques en santé avaient crû à une vitesse égale à celle des dépenses privées depuis 1981, nous en serions aujourd'hui à des dépenses totales de 18 % du PIB – exactement ce qu'on retrouve aux États-Unis. Quatrième surprise. Voulons-nous vraiment suivre cette voie ?

Il est aussi intéressant d'examiner les trois principaux postes de dépenses, soit les hôpitaux (comprenant le personnel hospitalier, donc la majorité des infirmières), les médecins et les médicaments. Pour le Québec, durant une période à peu près analogue, entre 1975 et 2009, le pourcentage des dépenses totales en santé attribuable aux hôpitaux est passé de 48 % à environ 27 %, celui des médecins de 14 % à 12 % et celui des médicaments de 8 % à près de 20 %. Une autre façon de montrer que ce ne sont pas les dépenses publiques (médecins et hôpitaux) qui sont hors de contrôle, mais notamment celles des médicaments[25]. Cinquième surprise.

Même si nos dépenses en santé augmentent, la hausse est similaire à celle des pays comparables de l'OCDE. De 1998 à 2008[26], nous avons réussi au Canada à contenir la croissance des coûts publics de santé mieux que ne le font la plupart des autres pays. Il est vrai, parfois à coup de plans d'austérité qui font très mal : déficit zéro, mises à la retraite anticipées et désassurance.

---

25. ICIS, « Tendances des dépenses nationales en santé de 1975 à 2011 », Ottawa, 2011.

26. OCDE, « Éco-Santé OCDE 2011 », Paris, juin 2011.

La France est dans une situation similaire, alors que seules l'Allemagne et la Norvège maintiennent un ratio de croissance égal ou inférieur à celui de leur PIB. À l'opposé, *tous* les autres pays de l'OCDE contrôlent moins bien leurs coûts que le Canada, y compris le Royaume-Uni (qui a beaucoup misé sur la privatisation, mais aussi opéré un refinancement majeur du système de santé sous Tony Blair), la Nouvelle-Zélande, la Belgique, le Danemark, les États-Unis (le système le plus privatisé parmi les pays de l'OCDE), l'Autriche, l'Australie, la Suisse, le Japon et l'Espagne. Sixième surprise.

Mais la grande question est celle de l'avenir : combien dépensera-t-on pour la santé dans 5, 10 ou 20 ans ? Les opinions à ce sujet divergent : il y a autant de réponses que d'écoles de pensée, sinon d'experts. Bien entendu, le courant fataliste clame que notre vieillissement collectif rendra le système beaucoup trop coûteux, appuyant puissamment sur l'argument pour mieux mousser la privatisation des soins. D'autres, comme le Dr Réjean Hébert, gériatre et ex-doyen de la faculté de médecine de l'Université de Sherbrooke, ont une opinion tout à fait différente : « Le vieillissement attendu de la population n'aura pas les conséquences apocalyptiques que les projections simplistes laissent croire et le système de santé canadien, public et universel, ne sera pas mis en péril. Ce système représente le meilleur moyen de faire face au vieillissement de la population puisqu'il permet d'améliorer facilement l'efficience de l'offre de services[27]. »

La majorité des coûts de santé sont engagés pour soigner des personnes malades et vieillissantes. La plus grande part des

---

27. Réjean Hébert, « Les défis du vieillissement au Canada », *Gérontologie et Société*, n° 107, décembre 2003.

coûts se concentre d'ailleurs dans l'année précédant le décès – parce qu'on meurt souvent malade. Mais les personnes âgées sont aujourd'hui en bien meilleure santé que celles d'il y a 30 ou 40 ans. Les coûts de fin de la vie seront peut-être simplement reportés dans le temps. De plus, on ne soigne pas un patient de 90 ans comme un patient de 70 ans, l'intensité des traitements devant s'ajuster et les soins curatifs cédant la place à des soins de confort moins coûteux. Bien entendu, lorsque les baby-boomers dépasseront l'âge vénérable de 80 ans, les coûts s'élèveront à cause de l'effet du nombre, puis s'amenuiseront ensuite quand cette génération s'éteindra. Plusieurs experts pensent que la croissance économique permettra de faire face à cette hausse temporaire[28].

On ne cesse de prétendre que le vieillissement est *la* cause de la hausse des coûts de santé, mais en réalité il n'expliquerait qu'une hausse annuelle d'environ 1 %, le reste étant lié à d'autres facteurs, dont l'évolution technologique et la progression rapide du prix des médicaments. Par ailleurs, la population canadienne n'est pas si « vieille » que ça : en 2009, 13,9 % de nos compatriotes étaient âgés de plus de 65 ans, contre 14,9 % pour la moyenne des pays de l'OCDE[29].

Que répondre alors à ceux qui jurent que notre système de santé n'est pas économiquement « viable » ? Il faudrait peut-être d'abord leur dire de se calmer un peu et de réfléchir à ce qu'ils avancent. Ensuite, il nous faudrait comprendre ce qui justifie leur discours catastrophiste, millénarisme des temps modernes, plutôt efficace d'ailleurs. J'émets l'hypothèse qu'il

28. François Béland *et al.* (dir.), *Le privé dans la santé : les discours et les faits*, Montréal, Presses de l'Université, 2008.

29. www.oecd.org/dataoecd/6/27/49105873.pdf

s'agit d'une stratégie vieille comme l'économie, bien décrite dans le troublant essai de Naomi Klein, *La stratégie du choc*[30]: les gouvernements de droite utilisent les crises (sociales, économiques, sanitaires, politiques, etc.) pour affaiblir le filet social. Bien sûr, nous ne sommes ni en guerre ni en crise grave, mais les mécanismes en cause sont de même nature : cette « crise » potentiellement « catastrophique » du financement du système de santé, ces « solutions » radicales appliquées afin de pouvoir y faire face, cette volonté de changer la donne et de mettre à mal le bien commun, d'affaiblir le tissu social et miner la capacité de partager le risque entre nous, cela ressemble beaucoup à la « stratégie du choc ».

J'exagère ? Lisez ce qu'écrivait le prix Nobel d'économie Paul Krugman en juin 2012, décrivant la Grande-Bretagne actuelle où le filet social est remis en question par le gouvernement conservateur de David Cameron : « Ainsi, la tendance à l'austérité en Grande-Bretagne n'est pas du tout en lien avec la dette et les déficits ; il s'agit plutôt d'utiliser la panique engendrée par l'idée de déficit comme une excuse pour démanteler les programmes sociaux[31]. »

En réalité, il est très difficile de prévoir à long terme l'évolution des soins de santé. La médecine évolue très rapidement, qui sait comment on soignera dans 20 ans… Un exemple simple : en 1970, des analystes prédisaient une croissance importante du nombre de jours d'hospitalisation, mais la réalité a montré

---

30. Naomi Klein, *La stratégie du choc. La montée d'un capitalisme du désastre*, Arles, Actes Sud, 2008.

31. www.nytimes.com/2012/06/01/opinion/krugman-the-austerity-agenda.html

qu'ils ont plutôt diminué des deux tiers depuis l'époque[32]. Toujours en 1970, le sérieux et respecté Conseil économique du Canada prophétisait, savantes démonstrations à l'appui, que la *totalité* des budgets publics fédéraux serait engloutie dans les seuls soins de santé et l'éducation en l'an 2000[33]. Ah bon? Si c'était arrivé, on l'aurait su!

Un des facteurs ayant permis au Canada de limiter la croissance de ses coûts publics de santé, c'est le contrôle de *l'offre en soins*. On peut avoir deux visions de ses effets : celle d'un économiste, peut-être heureux que les coûts aient été aussi bien contrôlés; celle d'un soignant, qui pourrait commenter longtemps les dommages collatéraux causés par la stratégie du déficit zéro et des compressions en santé, notamment l'allongement des listes d'attente et la congestion des urgences.

---

32. «Les prédictions apocalyptiques concernant l'utilisation démesurée des services de santé par les personnes âgées au cours des années à venir se doivent d'être tempérées par les données scientifiques récentes. En effet, Evans, McGrail, Morgan, Barer et Hertzman (2001) et Barer Evans, Hertzman et Lomas (1987), entre autres, ont bien montré qu'il est très hasardeux de baser quelques prédictions que ce soit sur l'utilisation actuelle des services de santé. En appliquant les projections démographiques à l'utilisation des services de santé en 1970, on aurait dû assister à une croissance du nombre de jours d'hospitalisation, alors que ce nombre a effectivement chuté des deux tiers.» Réjean Hébert, *loc. cit.*

33. «Regardant les perspectives jusqu'en 1975, nous devons conclure, en effet, que de chaque six ou sept dollars d'accroissement du revenu global dans l'économie canadienne, un dollar sera absorbé par les soins de santé et l'enseignement supérieur. Une telle augmentation des dépenses pour ces deux secteurs ne paraît nullement possible à long terme. Si les taux de croissance des dépenses des cinq dernières années devaient s'appliquer à long terme, ces deux seuls secteurs d'activités absorberaient la totalité du produit national potentiel avant l'an 2000.» Conseil économique du Canada, «Les diverses formes de la croissance», Exposé annuel VII, Ottawa, septembre 1970, p. 42.

Les programmes d'assurance publique ont couvert d'abord les éléments les plus coûteux du système : l'hospitalisation (en 1961 au Québec), les soins médicaux (avec l'assurance maladie en 1970) et, beaucoup plus récemment, les médicaments (avec l'assurance médicaments universelle en 1997). Pour les deux premiers programmes, le contrôle des coûts a été efficace, notamment par des budgets hospitaliers « historiques », c'est-à-dire reconduits d'année en année, moyennant certains ajustements. Plus tard, la réduction du nombre de lits d'hospitalisation et la diminution des admissions en médecine ont accentué le « contrôle ». À Montréal seulement, entre 1995 et l'an 2000, on a fermé neuf hôpitaux, contribuant aussi à la mise à la retraite d'un grand nombre d'infirmières, à la suite de la récession économique de 1989-1991. Des restrictions similaires ont d'ailleurs été appliquées en Ontario entre 1990 et 1996. Globalement, au Canada, on est ainsi passé de 7 lits d'hospitalisation pour 1 000 habitants en 1970 à 3,4 lits en 2008. Moitié moins[34].

L'objectif au Québec était d'atteindre le fameux déficit zéro, mais on en sous-estimait les effets néfastes. Le virage ambulatoire a permis d'en atténuer les conséquences et de maintenir le nombre des chirurgies, bien que trop peu de ressources aient été investies pour opérer efficacement une transformation de cette ampleur. De plus, l'insuffisance des services à domicile a reporté une partie des coûts sur les familles et sur les aidants naturels. Ce virage a aussi eu des effets pervers dûs à l'évolution technologique : la Loi sur l'assurance-hospitalisation couvre

---

34.   http://perspective.usherbrooke.ca/bilan/servlet/BMTendanceStatPays? codeTheme=3&codeStat=SH.MED.BEDS.ZS&codePays=CAN&codeTheme 2=3&codeStat2=x&langue=fr

bien les assurés, mais une fois qu'une procédure n'a plus besoin d'être faite à l'hôpital, la logique du maintien des acquis sociaux voudrait que l'assurance suive là où s'en va la procédure, par exemple en ambulatoire ; or ce n'est pas toujours le cas. Le virage ambulatoire a donc été une façon « passive » de privatiser l'assurance-hospitalisation, sans toucher à la loi en tant que telle. Cela est aussi vrai pour des médicaments qui se donnaient avant à l'hôpital, mais qui maintenant sont administrés à domicile.

Pour des raisons historiques et par suite de cette approche de contrôle de l'offre, le Canada et le Québec se retrouvent aujourd'hui avec un ratio de médecins et de lits d'hospitalisation par habitant bien inférieur à celui qu'on trouve en Europe : la courbe du nombre de médecins par habitant s'aplatit au Canada au cours des années 1990, alors qu'elle progresse régulièrement dans les autres pays de l'OCDE. Pour contrôler les coûts, on a donc contingenté la formation médicale, au risque de manquer de médecins. Selon l'OCDE, le Canada ne disposait en 2009 que de 2,4 médecins par 1 000 habitants, un ratio identique à celui des États-Unis, contre 3,1 pour la moyenne des pays de l'OCDE, alors qu'en France ce ratio était de 3,3 et en Suède de 3,7.

Le Canada s'inspire peut-être des États-Unis quant au nombre de médecins, mais qu'en est-il de leur rémunération ? Nos médecins sont mieux payés qu'en France, une comparaison qui tient le coup même quand on prend en compte le salaire national moyen : le ratio de revenu médecins/population au Canada varierait, selon l'OCDE, entre 3,1 et 4,7 (généralistes et spécialistes) contre 2,1 et 3,2 respectivement en France[35].

---

35. www.oecd.org/dataoecd/6/27/49105873.pdf

On peut se poser plusieurs questions : est-ce que cette croissance des revenus au Canada aurait été plus faible si les admissions en médecine n'avaient pas été plafonnées ? Bien difficile de répondre. La hausse actuelle des admissions aura-t-elle un impact à long terme sur les coûts globaux des médecins et sur leurs revenus individuels ? Fort probablement. Enfin, globalement : est-il possible de développer un système de santé d'inspiration socialisante (à l'européenne) dans un contexte d'une rémunération des médecins apparentée (sans être équivalente) à celle en vigueur aux États-Unis, tout en maintenant des taux d'imposition inférieurs à ceux de plusieurs pays d'Europe ? Il demeure qu'historiquement, ce ne sont pas les coûts des hôpitaux ni des médecins qui ont posé problème dans la croissance des dépenses : ce sont les coûts privés.

Une pilule une grosse granule

Au Québec, bien après l'assurance-hospitalisation de 1961, puis l'assurance maladie de 1970, un programme d'assurance universel a couvert à partir de 1997 un troisième pan majeur des soins de santé, les médicaments, décision du gouvernement de Lucien Bouchard[36]. Le modèle appliqué différait toutefois largement de celui des deux programmes précédents : non pas une couverture entièrement publique, mais plutôt une couverture « mixte », de type « public-privé », où des assureurs publics (le gouvernement) et privés (souvent offerts par les employeurs) allaient cohabiter. C'était l'introduction du principe de mixité dans nos couvertures d'assurance maladie (nous y reviendrons).

Jusque-là réservée aux groupes vulnérables – notamment les personnes âgées et les prestataires de l'aide sociale –, la couverture d'assurance médicaments élargissait ainsi son filet de sécurité à l'ensemble de la population, décision saluée comme une avancée, même si certains patients allaient dorénavant devoir débourser une contribution obligatoire, modulée en fonction du revenu, mais qui pouvait devenir problématique, par exemple pour les travailleurs précaires. Ce régime a peut-être aidé plus de Québécois à respecter leurs prescriptions : 95,6 % d'entre eux remplissent actuellement toutes leurs ordonnances,

---

36. Dès 1964, la Commission royale sur les services de santé avait recommandé la mise sur pied d'un régime universel d'assurance médicaments auquel auraient eu accès tous les Canadiens.

contre 92 % en Ontario et 88,5 % seulement dans le reste du Canada[37].

D'autres critiques se sont ajoutées, notamment quant aux coûts : contrairement à l'assurance maladie et à l'assurance-hospitalisation, dont le statut entièrement public a contribué au contrôle des dépenses, l'assurance médicaments n'a pas permis d'en réfréner la progression. Le Québec est d'ailleurs la province canadienne où ces dépenses sont les plus élevées : la part des médicaments *prescrits* dans les coûts globaux de la santé est passée de 6 % en 1985 à 18 % en 2009[38]. Le triple ! C'est d'autant plus grave que le Canada, avec 32 milliards de dollars de dépenses en 2011, est lui-même le deuxième pays quant aux coûts des médicaments, après la Suisse, mais *avant* les États-Unis[39].

Plusieurs experts croient qu'une couverture entièrement publique (qui tend à limiter les dépenses) aurait permis de mieux contrôler ces coûts, ce que notre assurance hybride « publique-privée » ne permet pas. En effet, les revenus des assureurs privés étant proportionnels aux coûts des médicaments, pourquoi négocier pour en diminuer les prix ? Cette dichotomie expliquerait une partie de la hausse. De plus, comme chaque fois que le privé côtoie le public, la mixité du système d'assurance médicaments entraîne une distorsion importante dans la répartition des risques et des « clientèles » : les patients des assureurs privés

---

37. Marc-André Gagnon, « Le régime québécois de l'assurance médicaments hybride : un modèle à la dérive ? », conférence de l'ACRSPS 2012, Innover pour un système de santé performant : vers un équilibre entre qualité, équité et coût.

38. *Ibid.*

39. ICIS, « Dépenses en médicaments au Canada de 1985 à 2011 », Ottawa, 2012.

sont bien différents de ceux assurés par la couverture publique, un peu comme les patients des cliniques privées ont peu de caractéristiques communes avec ceux des urgences du centre-ville. Les gens qui travaillent, qui sont plus autonomes, plus jeunes, qui ne souffrent pas trop de maladies débilitantes et ont un revenu plus élevé sont plus souvent couverts par les assureurs privés (bien qu'il s'agisse ici d'une clientèle captive, l'employé ayant alors l'obligation d'accepter la couverture d'assurance proposée par son employeur). Par contre, ceux qui ont peu de moyens, aucun travail ou qui ont perdu leur autonomie, les plus âgés, ceux qui souffrent de maladies graves et chroniques et les plus pauvres se retrouvent majoritairement dans le système public, qui a une obligation de couverture. Or, ces différences correspondent aussi à des risques distincts : les assureurs privés se retrouvent par défaut avec des « clients » plus faciles à assurer. Comme les risques sont moindres et les profits plus aisés, l'assurance privée en profite et l'assureur public assume le reste[40].

Notre modèle peut d'ailleurs engendrer des tensions dans les milieux de travail : les primes des programmes d'entreprise variant avec les coûts des médicaments, la présence d'un grand malade dans une petite entreprise pourrait en théorie entraîner une hausse substantielle des primes de chacun des employés – on imagine sans peine les conséquences. L'économiste Claude Montmarquette affirmait pourtant sans

---

40. Marie-Claude Prémont, « Le régime québécois de l'assurance médicaments hybride : un modèle à la dérive ? », *loc. cit.*

sourciller[41] qu'un travailleur peut changer d'emploi si le régime offert par son employeur ne lui plaît pas! Mais quand bien même ce genre de mobilité serait autre chose qu'une vue de l'esprit, il s'agirait certainement d'une conséquence sociale aussi absurde que contraire aux objectifs de l'assurance : il s'agirait d'un obstacle structurel pouvant compromettre l'entrée sur le marché du travail de personnes devant recevoir des médicaments coûteux. Inversement, tout employeur qui veut offrir des avantages sociaux à ses employés doit offrir l'assurance médicaments; s'il ne le fait pas, il perd comme embaucheur d'importants avantages concurrentiels.

Malgré les politiques hospitalières d'achats groupés et de remboursement au prix le plus bas, qui permettent au Québec de contrôler partiellement les dépenses en médicaments, nous payons plus cher, situation paradoxale compte tenu de la présence d'une industrie pharmaceutique soutenue par l'État. Ce prix élevé s'expliquerait en partie par l'application du concept de « prix plafond », basé sur le coût moyen des médicaments dans les pays où ils coûtent cher. En raison de ces comparatifs onéreux, nous payons en conséquence. Selon le chercheur Marc-André Gagnon, « si le prix des médicaments brevetés au Québec était comparable à ceux qu'on trouve en France, au Royaume-Uni ou en Nouvelle-Zélande, les Québécois pourraient épargner 10, 15 ou 40 % sur le coût de leurs médicaments brevetés, soit jusqu'à 1,5 milliard de dollars annuellement ». Une fortune qui pourrait être réinvestie dans les soins de santé ou d'autres programmes.

---

41. Claude Montmarquette, « Le régime québécois de l'assurance médicaments hybride : un modèle à la dérive ? », *loc. cit.*

L'impact économique de l'industrie pharmaceutique et des politiques du médicament est également remis en cause[42] : certains le jugent positif en raison des investissements en recherche et développement, alors qu'en réalité le gouvernement y mettrait entre deux et sept dollars pour chaque dollar d'investissement net privé. Et malgré des profits à long terme élevés par comparaison avec toutes les autres industries, le secteur pharmaceutique est responsable de la perte directe d'environ 3 000 emplois au Québec depuis 5 ans. C'est un pensez-y-bien.

Enfin, compte tenu des pressions qui poussent à la prescription et à la consommation de médicaments, peut-on dire au moins que les médicaments développés en valent la peine? Pas du tout. C'est d'ailleurs essentiel de garder ici aussi notre esprit critique : si plusieurs sont utiles pour la santé, la valeur ajoutée des nouvelles molécules est rarement évidente. En clair, une minorité de nouveaux produits constituent des avancées thérapeutiques, mais la majorité n'offre rien d'autre qu'une énième variation brevetable sans valeur ajoutée – l'objectif après tout, c'est d'obtenir un brevet !

---

42. « Les aides financières publiques accordées à l'industrie pharmaceutique québécoise pour encourager la R&D sont en fait de 1,81 à 6,76 fois supérieures à l'ensemble des dépenses nettes de l'industrie pharmaceutique québécoise en R&D. [...] Si le Québec cessait complètement de soutenir le secteur pharmaceutique privé et tentait plutôt d'obtenir les meilleurs prix possible pour ses médicaments, comme le fait la Nouvelle-Zélande [...], il pourrait économiser jusqu'à 1,66 milliard de dollars en médicaments. Ces économies lui permettraient non seulement de financer massivement la recherche publique, mais il pourrait réduire de manière significative les coûts en santé. » Marc-André Gagnon, « L'aide financière à l'industrie pharmaceutique québécoise : le jeu en vaut-il la chandelle ? », *Revue Interventions économiques*, n° 44, 2012, http://interventionseconomiques.revues.org/1611

Ce n'est pas tant nos prescriptions qu'il faut renouveler, mais peut-être l'ensemble de nos politiques vis-à-vis de l'industrie pharmaceutique et de la consommation de médicaments.

CHÈRE PRESTATION PRIVÉE

DANS LA MYTHOLOGIE relayée par les médias, le privé en santé serait efficace, économique, rapide et convivial, sorte de paradis sur terre, tout le contraire du public, ce purgatoire n'offrant que lenteur et désespoir. D'où l'idée communément admise qu'il est plus que temps qu'advienne l'*émulation* du public par la vertu d'une concurrence du privé. Mais il faudrait d'abord valider ces prémisses, autrement, ça ne risque pas d'émuler fort. En réalité, rien ne montre que la prestation privée soit plus efficace ou permette d'offrir des soins moins coûteux ou plus rapides que la prestation publique. Les faits, bien documentés en ces matières, montrent plutôt le contraire : le public fonctionne mieux et permet d'économiser, notamment en gestion.

On vante beaucoup la gestion privée, en l'opposant par réflexe à l'inefficacité proverbiale des bureaucrates fatigués hantant les couloirs du secteur public. Pourtant, c'est le contraire : les frais de gestion des systèmes d'assurance privés sont habituellement beaucoup plus élevés. Toutes les sources concordent. En Belgique, par exemple, la gestion privée des soins coûte trois fois plus cher que la gestion publique. En France, on paie plus de trois fois plus au privé. En Allemagne, les frais de gestion privés sont près du triple des frais publics. On monte à cinq fois au Japon[43]. Phénomène identique aux États-Unis, où coexistent des systèmes privés onéreux et des systèmes publics beaucoup moins coûteux à administrer. De

---

43. Organisation mondiale de la santé, «Administrative Cost of Health Insurance Schemes : Exploring the Reasons for Their Variability », Genève, 2010.

même, chez nous, les frais de gestion des programmes d'assurance médicaments québécois coûtent 2 % à l'assureur public et 8 % en moyenne à l'assureur privé.

Pas encore convaincus ? Alors parlons de prestation : peut-être après tout que le privé coûte cher à administrer, mais permet d'épargner en retour dans la prestation de soins ? C'est d'ailleurs la principale raison invoquée pour en faire la promotion au Québec : faire « plus » avec « moins » – une formule déjà souvent utilisée dans le réseau de la santé quand il s'agissait de couper dans le vif en donnant l'impression de rationaliser. Vous risquez encore une fois d'être déçus : c'est une autre illusion, relayée par un discours que démentent des faits bougrement têtus. Les données canadiennes sur le sujet commencent d'ailleurs à se révéler.

En Alberta, la prestation privée coûte plus cher que son équivalent public pour les chirurgies[44]. Et pas qu'un peu : plusieurs centaines de dollars de plus pour chaque chirurgie sous-traitée aux cliniques privées, selon un modèle comparable à celui de nos cms, comme la clinique Rockland MD. On s'est également intéressé à l'impact sur les délais d'attente, dont on prétend fréquemment qu'ils diminueraient comme par magie en prestation privée. Bien qu'on ait effectivement constaté certaines améliorations, le phénomène ne semble pas lié à la nature « privée » de ces cliniques : au contraire, les solutions adoptées dans le public étaient tout aussi efficaces, mais permettaient d'atteindre ces objectifs à moindre coût[45].

---

44. Diana Gibson et Jill Clements, « Delivery Matters : The High Costs of For-Profit Health Services in Alberta », Parkland Institute, avril 2012.

45. *Ibid.*

Ces données ressemblent à celles de la Grande-Bretagne, où on a démarré la prestation privée une quinzaine d'années avant chez nous, sous Tony Blair. Les Independent Sector Treatment Centres (équivalent de nos CMS) n'ont pourtant pas répondu à la commande. Imposés sans tenir compte des besoins locaux, déstabilisant les établissements publics, choisissant leurs patients, jouissant d'un financement supérieur au secteur public, n'ayant aucune obligation de donner de la formation et offrant un suivi limité aux patients, surtout en cas de complications[46], les coûts y excédent de 11 % ceux de leur contrepartie publique, malgré une clientèle souvent plus légère. Quel bilan ! En raison des similitudes entre nos deux systèmes de santé, développer ce modèle conduirait sans doute aux mêmes résultats. D'ailleurs la British Medical Association appelle à renverser la vapeur.

On sait aussi que le réseau public a élaboré de sévères normes de qualité, d'ailleurs régulièrement mises à jour. Rien n'est parfait, mais c'est au moins un souci constant. Du côté du privé, on travaille à diminuer les risques, après quelques événements malheureux. L'avocat Jean-Pierre Ménard a montré que les contrats signés entre les patients et ces cliniques étaient moins « sécuritaires » que ne l'étaient ceux des hôpitaux, soumis à des obligations rigoureuses. Depuis, on a resserré ces normes à la suite des recommandations de la Protectrice du citoyen[47], notamment. Les données britanniques montraient d'ailleurs les mêmes problèmes.

---

46. Ce verdict sévère est du Dr Jacky Davis, radiologiste émérite et l'un des médecins les plus influents de Grande-Bretagne, tel qu'elle l'a présenté à Montréal à l'assemblée annuelle de MQRP en 2009.

47. Protecteur du citoyen, « Rapport annuel d'activités 2010-2011 ».

Notre version des cliniques privées de chirurgie commence à montrer ses limites. La clinique Rockland MD, par exemple, qui prétendait opérer les patients à moindre coût qu'à l'hôpital du Sacré-Cœur, avec lequel elle a passé un gros contrat de chirurgies, ne semble pas avoir rempli ses promesses : les coûts y seraient supérieurs (probablement d'environ 200 dollars par chirurgie) à ceux des services publics hospitaliers[48], ce que reconnaît le Dr Gaétan Barrette, président de la FMSQ[49]. Sans compter cette histoire trouble de frais accessoires énormes, dévoilée par une enquête de la RAMQ : des « forfaits santé » de plusieurs milliers de dollars, requis pour couvrir les frais réels liés aux chirurgies, s'ajoutaient ainsi aux montants perçus directement par les contrats de services hospitaliers. Selon la RAMQ, les patients devaient payer ces sommes pour pouvoir accéder à certaines chirurgies, qu'on disait pourtant couvertes par l'assurance publique[50] !

---

48. Il s'agit de l'écart de coût allégué par des personnes bien au fait de ces contrats.

49. www.fmsq.org/magelectronique_1011/president.html

50. « Une personne assurée qui désire se faire opérer au centre doit nécessairement passer par la clinique afin d'acheter un "forfait santé". Ainsi, selon la très grande majorité des personnes assurées interrogées dans le cadre de l'enquête, elles n'auraient pas obtenu une chirurgie au centre si elles n'avaient pas déboursé à la clinique les frais requis pour un "forfait santé". [...] Ces frais ne peuvent être facturés car ils ne font pas partie des frais accessoires prescrits ou prévus dans une entente qui peuvent [...] être facturés aux personnes assurées. » « Enquête de la Régie de l'assurance maladie du Québec sur le Centre de chirurgie et de médecine Rockland inc. Faits saillants et analyse », 16 février 2012, www.ramq.gouv.qc.ca/SiteCollectionDocuments/citoyens/fr/rapports/rappenq-rockland-fr.pdf

Un autre exemple québécois « intéressant », c'est l'ophtal-mologie : dans le cadre de la planification des futurs services du Centre hospitalier de l'Université de Montréal (CHUM), on avait d'abord prévu la sous-traitance de l'ophtalmologie à un centre privé. Mais après évaluation, le MSSS a réalisé que les coûts réels seraient beaucoup plus élevés ; les plans ont donc été modifiés afin de réintégrer le tout dans le CHUM[51].

En appelant le privé à la rescousse du public, on court aussi le risque de corrompre l'équilibre de la prestation de soins. Le privé, en effet, trouve son profit dans la multiplication d'actes simples et techniques ; la pression pour réaliser un plus grand nombre d'examens inutiles y est donc énorme. Dans les hôpi-taux américains privés, les médecins sont d'ailleurs évalués régulièrement pour leur « performance », qui concerne parfois la qualité des soins, mais plus souvent le nombre d'examens, de prises de sang et d'actes prescrits, en lien avec la fonction première d'un hôpital à but lucratif : générer des profits. Les médecins sont cotés par l'administration, qui ne se gêne pas pour y aller de ses remontrances. Ceux qui pensaient que Dr House se faisait malmener par sa directrice générale n'ont rien vu ! Dans une telle logique de soins privés à but lucratif, chaque test est une « occasion d'affaires ».

Quand la médecine dérive vers la prestation profitable, un autre phénomène méconnu du grand public s'accentue : celui des *faux positifs*. Tout examen engendre un certain nombre de résultats faussement positifs. Peu importe la qualité du test ou la technologie utilisée, on en retrouvera *toujours* un certain nombre. Et comme les bons tests ne sont généralement

---

51. Ces données ont été obtenues du MSSS.

« spécifiques[52] » qu'à 80 ou 90 %, on retrouve dans ces cas entre
10 et 20 % de résultats anormaux, ce qui peut avoir des conséquences fâcheuses si les tests sont effectués inutilement. Le bon
usage d'un test est de confirmer (ou d'infirmer) l'hypothèse
diagnostique du médecin. Si le médecin est déjà convaincu de
la présence d'une maladie, pas besoin de test. S'il est convaincu
de son absence, le test est une perte de temps. C'est seulement
dans le cas où il hésite que le test est vraiment utile.

Dans les cliniques à but lucratif, beaucoup de tests sont réalisés alors qu'ils ne sont pas requis. Les résultats faussement
anormaux entraînent à leur tour d'autres examens. C'est à la
fois une perte de temps et une source de coûts inutiles, et même
de risques pour les patients (si cela entraîne par exemple des
interventions). Cet exemple de surmédicalisation favorisée par
la présence accrue du privé est un facteur d'augmentation des
coûts sans amélioration de la santé, comme on le voit aux États-
Unis. Payez et vous passerez des tests sans intérêt qui ne changeront rien à votre vie et vous donneront, peut-être, un faux
sentiment de sécurité.

On me répondra : c'est tout de même important de passer
des tests ! Sans doute, mais on doit apporter certaines nuances.
En réalité, une large proportion des tests sont vains et ne changent rien à la vie du patient. Par ailleurs, certains tests utiles
sont répétés trop souvent, comme les prises de sang annuelles.
Vous en doutez ? Allez lire l'excellent guide *L'évaluation médicale*

---

52. La « spécificité » d'un test désigne la proportion de tests normaux et
anormaux qu'on obtient chez les personnes en bonne santé, donc sans la
maladie recherchée. Un test n'est jamais spécifique à 100 %, la proportion res-
tante correspond à ce qu'on appelle ici les « faux positifs ».

périodique, édition 2012, pour vous en convaincre[53]. On y décrit dans le détail les quelques tests qui ont fait la preuve de leur efficacité pour améliorer l'état de santé.

Bref, si certains tests valent bien sûr la peine, c'est de manière beaucoup plus limitée qu'on se l'imagine. Alors qu'en est-il des prises de sang annuelles, des tapis roulants, des électrocardiogrammes, des scans, des radiographies, des TEP (ou PET-scans), de la coloscopie virtuelle – bref, de la myriade de tests régulièrement vantés par beaucoup de médecins, favorisés par la médecine « corporative », encouragés par les assurances et même annoncés dans des publicités illégales ? Personne n'a jamais montré que ces examens sont utiles en prévention. C'est un mirage qui coûte une fortune.

Dans un autre contexte, celui des soins de longue durée, l'équipe de Margaret McGregor[54] a démontré, après révision de centaines d'études sur le sujet, que le privé ne respecte pas les mêmes normes de soins et de qualité que le public en termes de roulement de personnel, de fréquence des bains ou de recours aux contentions et à la médication sédative. À tous ces égards, le privé fait moins bien que le public. Au Québec, le débat fait d'ailleurs rage entre les promoteurs et les opposants à la construction des centres de longue durée en mode PPP, plusieurs craignant une détérioration des soins. S'agissant des

---

53. Publié par les Services préventifs en milieu clinique de la Direction de santé publique de l'Agence de la santé et des services sociaux de Montréal, en collaboration avec le Collège des médecins du Québec. En ligne : www.cmq.org/fr/MedecinsMembres/Ateliers/~/media/Files/Guides/Guide-EMP-2012.ashx ? 61226

54. « Residential Long-Term Care for Canadian Seniors : Nonprofit, For-Profit or Does It Matter ? », *IRPP Study*, n° 14, janvier 2011.

milieux de vie de nos parents et de nos grands-parents, est-ce vraiment ce que l'on souhaite pour eux ?

Alors OUI, en résumé, l'émulation entre le public et le privé est une bonne chose… s'il s'agit d'améliorer les prestations du privé par le bon exemple du public !

Pause et attente

J'ai glissé un mot à propos de l'attente (pour obtenir une chirurgie, être admis à l'hôpital à partir de l'urgence ou passer des tests diagnostiques, par exemple), phénomène malheureux, réel et décrié de notre système de santé.

D'abord, soyons clairs : des listes d'attente, ce n'est pas anormal en soi. Aucun système de santé ne peut fonctionner sans une attente minimale, à moins d'investir une quantité immense de ressources dont nous ne disposons évidemment pas. Ce qui pose problème, c'est quand l'attente est démesurée ou, plus simplement, dépasse les délais jugés acceptables.

La réalité, cependant, est moins pire que ce qu'on en lit dans les journaux. Au Canada, 80 % des patients accèdent à une chirurgie de la hanche ou de la cataracte dans les délais prescrits, un peu moins pour la chirurgie du genou (75 %). Par ailleurs, 97 % des patients accèdent aux traitements de radiothérapie dans le délai prescrit de 4 semaines. Si le Québec s'en tire aussi bien que le Canada pour le remplacement de la hanche, il réussit *mieux* à respecter ces délais pour les 3 autres indicateurs (remplacement du genou : Québec 78 % contre 75 % pour le Canada ; cataractes : Québec 88 % contre 82 % au Canada ; radiothérapie : Québec 99 % contre 97 % au Canada[55]).

Il est vrai qu'une attention particulière a été donnée, depuis quelques années, à ces interventions, notamment par l'octroi de budgets spécifiques. Certains croient qu'à l'amélioration

---

55. https://secure.cihi.ca/free_products/WaitTimesSummary2012_FR.pdf

constatée correspond un allongement des délais pour d'autres chirurgies.

Soit, on peut toujours faire mieux. Mais pour faire mieux, certains pensent que la solution du privé est la bonne. Est-ce bien exact? On a déjà vu que le financement privé n'améliore ni le fonctionnement ni l'équité du système de santé et que la prestation privée échoue généralement à faire «plus avec moins». Alors par quel miracle «le privé» réussirait-il alors à diminuer l'attente? Selon la théorie de ses partisans, un financement privé accru permettrait de concentrer les ressources publiques vers ceux qui en ont vraiment besoin; l'expansion de la prestation privée contribuant pour sa part à l'amélioration des services offerts aux patients du réseau public. Une double combinaison gagnante! Pourtant, comme l'affirment notamment les experts qui ont signé le Manifeste des 59: «L'effet prévisible d'un recours accru au financement privé est un accroissement des problèmes. Il n'existe absolument aucune base scientifique crédible ni aucune leçon tirée d'un autre pays qui permettent de justifier le financement privé du système de santé. Au contraire, nous devons réaffirmer et renforcer le caractère public du financement de notre système de santé[56].»

La contribution potentielle du privé à la diminution de l'attente, qu'on parle d'examens d'imagerie, de chirurgies ou de suivi médical, est limitée, pour une foule de raisons. Ces

---

56. «Pour un système de santé de qualité pour tous. Manifeste des 59: lettre ouverte à Yves Bolduc, ministre de la Santé», publié notamment dans *L'Actualité* le 30 janvier 2011: www.lactualite.com/manifeste-des-59-lettre-ouverte-yves-bolduc-ministre-de-la-sante

questions ont été étudiées[57] et la réponse est souvent la suivante : dans les pays et les régions où le privé a connu une plus
grande expansion, on observe une augmentation de l'attente
dans le public. Même si des gains locaux ou à petite échelle sont
possibles, l'impact est généralement neutre ou négatif. Prodiguer des soins n'est pas aussi simple qu'on le pense. Certes,
effectuer des gestes médicaux ponctuels à faible risque de complication chez des personnes jeunes n'est pas très complexe.
Mais là n'est pas le défi : la vaste majorité des soins, dont les plus
onéreux, impliquent un suivi médical prolongé et des risques
de complications, parce la majorité des patients concernés sont
malades et âgés. Relever ce défi suppose bien plus que de pouvoir enchaîner des gestes mécaniques ; cela demande une coordination poussée des soins, la capacité de suivre la trajectoire
des patients dans le système de santé et d'assurer un suivi impliquant plusieurs disciplines professionnelles.

Ces idées sont assez récentes en médecine, où la réflexion a
été stimulée par des réalités incontournables : le vieillissement
des patients, la montée des maladies chroniques et la nécessité
de répondre à des besoins complexes ont orienté les recherches
vers des modèles intégrés de prise en charge. Plusieurs projets
en ce sens ont d'ailleurs été réalisés avec succès au Québec.
Nous y reviendrons.

On comprendra aisément que d'accroître la coordination
des soins représente un défi pour des professionnels plus habi-
tués à travailler chacun de leur côté, mais aussi pour un réseau
qui commence à peine à mieux se coordonner. Mais nous

---

57. Hughes Tuohy C. *et al.*, « How Does Private Financing Affect Public
Health Care Systems ? Marshaling the Evidence from OECD Nations », *Journal
of Health Politics, Policy and Law*, vol. 29, n° 3, 2004, p. 359-396.

n'avons pas le choix : la fragmentation actuelle ne peut qu'entraîner une détérioration de la capacité d'offrir des soins complexes de qualité. C'est peut-être pour cette raison que les systèmes où la privatisation s'étend n'améliorent pas la qualité des soins et les indicateurs de santé, puisque la coordination, déjà difficile à réaliser dans le public, se détériore si on multiplie les intervenants. De même, la compétition que certains appellent de leurs vœux pour assurer l'émulation du système public ne produit pas les résultats souhaités, sans doute parce qu'elle induit une dynamique néfaste à la dispensation des services.

Dans notre système de santé, où les ressources humaines sont limitées, toute activité retirant au public une part de ses professionnels contribuera à augmenter l'attente. De plus, du point de vue éthique, on assistera à cette distorsion déjà décrite entre l'accès privé et l'accès public : l'apparition d'une prestation privée essentiellement basée sur la capacité de payer plutôt que sur le besoin et un accès de plus en plus inégal au diagnostic. Un exemple concret en est la radiologie québécoise : en raison d'une exception dans les règlements de la loi médicale, les scans, les échographies et les résonances magnétiques réalisés hors de l'hôpital ne sont pas couverts par la RAMQ[58]. Les radiologistes sont donc les *seuls* médecins à travailler dans un modèle de mixité privée-publique, où ils peuvent être payés par le public et par le privé pour des actes similaires. Conséquences ? Une disparité énorme entre l'accès public et privé, un manque de coordination des ressources, des problèmes de cheminement de l'information, des coûts élevés, des conflits d'intérêts

---

58. En août 2012, on semblait se diriger vers une couverture de l'échographie réalisée en cabinet privé, une avancée significative dans l'accès à l'imagerie que MQRP réclamait déjà depuis quelque temps.

potentiels, une sous-utilisation des appareils et une incapacité de régler les failles du système. La radiologie nous donne fort opportunément une idée de ce qui arriverait si le système de santé s'orientait vers ce modèle. Il s'agit en fait de deux systèmes, un public et un privé, fonctionnant en parallèle, mais dans lesquels, étonnamment, le même patient et le même médecin peuvent tenir tous les rôles.

Pourtant, juste à côté, en Ontario, où la radiologie privée joue un rôle beaucoup plus restreint qu'au Québec, les listes d'attente sont moins longues, même si proportionnellement, le Québec possède plus d'appareils, plus de radiologistes et plus de technologues. Si, comme l'affirment les radiologistes, on manque de technologues dans les hôpitaux pour effectuer des examens, notamment les échographies[59], est-il possible que ce soit parce qu'ils travaillent davantage dans les cliniques privées?

Si la mixité de la radiologie québécoise n'est pas l'exemple à suivre, alors pourquoi souhaiter l'application de ce modèle ailleurs en médecine? Peut-être tout simplement parce qu'on veut étendre la mainmise du privé sur la santé – ou, moins joliment dit, parce que des intérêts cachés tirent les ficelles. Ce qui nous ramène à la question de fond: comment diminuer l'attente?

L'amélioration de la productivité des blocs opératoires – la capacité de faire *plus* d'opérations avec le même personnel et à peu près au même coût – fut à cet égard une démarche pertinente. La tournée d'intervention réalisée conjointement par la FMSQ et le MSSS a permis d'analyser chaque situation, puis d'appliquer des solutions spécifiques peu coûteuses, simples

59. www.lapresse.ca/le-soleil/actualites/sante/201107/06/01-4415649-echographies-les-radiologistes-veulent-des-technologues-en-renfort.php

et efficaces, qui ont conduit à une amélioration de la capacité opératoire de 5 à 15 %. Ce qui représente à l'échelle du Québec, il faut le souligner, des milliers de chirurgies ajoutées – de quoi faire fondre les listes d'attente. Certains experts évaluent ce potentiel d'amélioration à 20 %. Mais il faut mentionner que les interventions plus lourdes, particulièrement celles requérant un séjour aux soins intensifs, auraient demandé des investissements supplémentaires.

Il demeure que la capacité du réseau public de faire fondre les listes d'attente est sous-estimée. Prenons l'exemple de la chirurgie cardiaque. Il y a quelques années, il n'y avait pratiquement plus d'attente pour ce type d'intervention au Québec. Quelques jours seulement. Malheureusement, depuis trois ans, ces listes d'attente gonflent à nouveau. Ce n'est pas un signe d'impuissance, mais plutôt un effet de la pénurie d'infirmières, grave crise de fond dans le réseau, qui oblige les hôpitaux à plafonner la capacité opératoire à cause de l'impossibilité de recevoir les patients aux soins intensifs en postopératoire. À cet égard, chaque départ d'une infirmière vers le privé porte un coup presque aussi dur que celui d'un médecin.

On ne règlera pas les listes d'attente en accroissant la part du privé dans les soins, mais plutôt en améliorant la productivité du réseau et en y injectant les fonds requis.

Payer à l'acte les hôpitaux

CONNAISSEZ-VOUS la dernière mode d'allocation des budgets dans l'univers des établissements de santé? Le mode à l'acte. C'est-à-dire le paiement à l'acte, pourtant souvent critiqué lorsqu'on l'applique à la rémunération des médecins.

Sous le principe général «l'argent suit le patient[60]», on l'appelle aussi «financement par activité» (FPA) ou financement à l'activité: il s'agit de financer l'établissement en associant un montant moyen à la réalisation de chaque prestation de soins, que ce soit une chirurgie cardiaque, une hospitalisation pour pneumonie ou une échographie du foie, par exemple. Terminé, dans ce mode, le budget «historique[61]» auquel on apportait des ajustements en fonction des représentations des gestionnaires ou de l'évolution des missions. On change de paradigme,

---

60. Notons que la formule «l'argent suit le patient» est ici trompeuse: en réalité, l'argent suit «l'épisode de soins», c'est-à-dire le séjour du patient à l'hôpital. C'est très différent d'un système de financement où l'argent serait réellement associé au patient, par exemple dans le cadre d'un budget populationnel où la totalité du financement est associée aux besoins de santé d'une population donnée.

61. «Selon le présent mode d'allocation, les budgets des établissements de santé évoluent essentiellement en fonction des sommes dépensées dans les années antérieures, puis ajustées en fonction de l'inflation. Les budgets historiques tels qu'on les connaît actuellement peuvent être rigides et mener à des incongruités. Par exemple, des administrateurs préféreront dépenser inutilement des ressources afin d'éviter que certains postes budgétaires soient considérés comme excédentaires puis coupés dans les années subséquentes. En revanche, puisqu'il s'agit de postes fixes et donc prévisibles, les budgets globaux permettent une meilleure stabilité et un plus grand contrôle des dépenses.» Guillaume Hébert, «Le financement à l'activité peut-il résoudre les problèmes du système de santé?», IRIS, juin 2012.

comme on dit. Le ministre Raymond Bachand voulait implanter cette nouvelle formule dès l'an prochain.

La demande provient de l'Association québécoise des établissements de santé et de services sociaux (AQESSS)[62], qui reconnaît toutefois des avantages au budget historique : son « efficacité reconnue pour le contrôle des coûts globaux, grâce à son caractère prospectif et à son enveloppe fermée, une simplicité d'administration pour les gestionnaires des organisations et ceux des tiers payants, une structure qui permet de prévoir les budgets, la grande liberté d'action qu'il octroie aux gestionnaires dans l'utilisation de l'enveloppe ». À première vue, des avantages non négligeables. Mais l'AQESSS souligne du même souffle certains problèmes, notamment ces « critiques reliées à l'injustice, à l'iniquité et à la rigidité, un manque d'incitation à améliorer l'accès, à fournir des services de qualité ou à privilégier l'efficacité, une rigidité qui permet difficilement de répondre à un accroissement soudain de la demande, un manque de disponibilité de l'information sur les activités [...], laquelle est nécessaire à l'amélioration de la performance et à l'élaboration de mécanismes d'allocation des ressources ». D'où un besoin pressant, selon l'AQESSS, de modifier le mode de financement des hôpitaux pour l'orienter vers le FPA.

Après la réforme de Philippe Couillard et la création des CSSS – regroupements d'établissements de différents niveaux : hôpitaux, CLSC, centres hospitaliers de soins de longue durée (CHSLD) –, l'allocation des budgets a aussi évolué pour davantage tenir compte des besoins régionaux, de l'état socio-sanitaire des populations desservies et du niveau de richesse relatif.

---

62. L'AQESSS regroupe la plupart des établissements de santé au Québec.

C'est en février 2012 que l'AQESSS présentait sa proposition d'implanter le FPA, dans un rapport largement diffusé[63]. Sa directrice générale, Mme Lise Denis, écrivait alors que le financement à l'activité « permet non seulement de mieux connaître et comprendre la nature même des coûts, mais assure également une plus grande transparence et un meilleur contrôle budgétaire. [...] Notre position sur la question est claire : le mode d'allocation des ressources actuel date d'il y a trop longtemps et nous croyons qu'il est temps de le moderniser. Nous attendons maintenant un signal tout aussi clair du gouvernement[64] ».

Ces mots semblent avoir immédiatement inspiré le ministre des Finances qui, dès son budget 2012-2013, présenté quelques semaines plus tard, a saisi la balle au bond et nommé un groupe d'experts ayant pour mandat non pas d'évaluer la pertinence de cette formule, mais bien d'en proposer l'implantation dans l'année qui vient[65] ! Il faut au moins espérer que ce comité

---

63. AQESSS, « Allocation des ressources aux établissements de santé et services sociaux : pistes et balises pour implanter le financement à l'activité », février 2012.

64. Lise Denis, « Vers un chantier sur le financement à l'activité », 23 février 2012, www.aqesss.qc.ca/1990/blogues.aspx? sortcode=1.1.1.1.10.10&postid=192

65. « La qualité des soins de santé ne tient pas seulement aux sommes qui y sont consacrées. Le mode de financement a aussi une incidence. Il y a quelques semaines, l'Association québécoise des établissements de santé et de services sociaux, l'AQESSS, recommandait l'implantation graduelle de ce qu'on appelle des modes de financement à l'activité. Ces modes de financement suscitent un intérêt grandissant dans le monde. Afin d'accroître la qualité des services et de répartir les ressources de façon plus équitable et optimale, j'annonce la formation d'un groupe d'experts chargé d'évaluer des modèles de financement à l'activité, d'en présenter les modalités d'implantation le cas échéant et de proposer des expériences pilotes, pour une implantation graduelle dès le printemps 2013. » « Budget 2012-2013. Discours sur le budget prononcé à l'Assemblée nationale par M. Raymond Bachand, ministre des Finances », 20 mars 2012.

d'experts saura demeurer impartial, même si on connaît les sympathies de sa présidente, Mme Wendy Thompson, pour ces principes. Le gouvernement accepte donc sans plus d'examen l'idée que le FPA améliorera la qualité des soins et permettra de mieux répartir les ressources. Le Conseil du trésor s'intéressait d'ailleurs déjà au principe, sa position étant citée dans le rapport de l'AQESSS : « Afin d'améliorer la reddition de comptes, le ministère de la Santé et des Services sociaux accentuera l'utilisation de la gestion par activité, un pas de plus visant à délaisser les bases budgétaires historiques comme référence de financement des établissements. » Joli mouvement circulaire ou rencontre de grands esprits : le Conseil du trésor propose des orientations, reprises par l'AQESSS, qui inspirent à leur tour le ministre des Finances et aboutissent dans son budget. Pourquoi faire simple quand on peut faire compliqué ?

Bien entendu, s'agissant de quantifier la moindre dépense dans un contexte de soins précis, le FPA ne fonctionne que si on peut décrire avec précision le coût réel des soins et les caractéristiques de chaque patient. Cette capacité n'existe dans le contexte québécois que depuis peu, même si aux États-Unis, où les soins sont un *business*, des logiciels coûteux permettent depuis longtemps le remboursement détaillé de chaque geste thérapeutique. Une fois les coûts des soins et la « lourdeur » de chaque patient codifiés, le MSSS associerait à chaque épisode de soins un montant versé à l'hôpital pour chaque patient.

En réalité, le principe du FPA n'a rien de neuf : on le retrouve depuis longtemps dans plusieurs pays, ce qui permet de prendre un peu de recul et d'évaluer si l'optimisme que partagent le Conseil du trésor, l'AQESSS et le ministre des Finances se confirme dans les faits. Certains craignent l'effet inverse. J'imagine que ces réserves intéresseront aussi le groupe d'experts, si ses conclusions ne sont pas décidées à l'avance. Le FPA a été largement expérimenté, non seulement dans différents pays, avec un impact mitigé, mais surtout dans un contexte semblable au nôtre, en Colombie-Britannique, où on voulait surtout améliorer l'accès à la chirurgie. À cette fin, 20 % du financement hospitalier additionnel de certains hôpitaux était encadré par un modèle de FPA plutôt que par un budget de type historique. Or, les conclusions qu'en tire un groupe de chercheurs[66] pointent dans une direction exactement opposée aux prétentions de l'AQESSS.

Le FPA aurait plutôt comme effet d'accroître le nombre d'actes sans diminuer leur coût unitaire, et donc d'augmenter les coûts globaux, un effet comparable à celui de la rémunération à l'acte chez les médecins, mais dans le secteur le plus coûteux de notre système de santé, les services hospitaliers. Par ailleurs, en raison de la complexité accrue des processus de gestion, le FPA cause une augmentation des coûts d'administration. Dans ce contexte, soigner pour moins cher que le remboursement gouvernemental devient un impératif, auquel on ne peut offrir que deux réponses : soit diminuer les coûts unitaires de l'acte médical, soit réclamer des remboursements plus élevés pour chaque épisode de soins.

En l'absence de marge de manœuvre, diminuer les coûts devient un exercice risqué qui peut mener à rogner sur les dépenses essentielles et donc sur la qualité des soins. On va donc plutôt chercher à augmenter le remboursement pour

---

66. Marcy Cohen *et al.*, « Beyond the Hospital Walls. Activity Based Funding Versus Integrated Health Care Reform. Health, Health Care System », *Pharmacare*, 16 janvier 2012.

chaque intervention : pour y arriver, la « méthode » la plus simple est de plaider l'accroissement de la « lourdeur » des patients.
Concrètement, c'est une codification « optimisée », appliquée
par les archivistes, qui permet d'y arriver, un exercice déjà en
cours dans beaucoup d'hôpitaux. Mais on peut aussi « trop
bien coder », c'est-à-dire « jouer avec les données », notamment
sous la pression des administrateurs[67], pour faire illusion.

Une autre façon pour les hôpitaux de se débrouiller avec le
FPA, c'est d'augmenter le nombre de patients qui présentent
moins de risques, réduisant à mesure celui des patients âgés, et
à plus haut risque – ce qui vous rappelle sûrement quelque
chose. Comme ailleurs, quand on lie l'argent directement aux
soins, une distorsion apparaît : on favorise des interventions
permettant de renvoyer rapidement les patients à la maison, ce
qui permet généralement un « profit » supérieur. Les médecins
peuvent dès lors se retrouver dans une position ambiguë, voire
conflictuelle, face à l'administration hospitalière : que devien-
draient alors les priorités cliniques liées à l'urgence ou à la gravité de l'état des patients ?

Un mode de paiement favorisant la « performance » pourrait
aussi pousser les CSSS à négliger leur mission de maintien, de
promotion et d'accès à la santé et aux services sociaux. Un autre
risque est lié aux transformations des pratiques chirurgicales :
sans s'opposer aux chirurgies d'un jour, il faut noter que renvoyer rapidement le patient chez lui implique de pouvoir
compter sur des soins à domicile suffisamment développés
pour limiter le risque de complications postopératoires. Il s'agit
aussi d'un transfert des coûts hospitaliers au patient ou à son
entourage.

---

67. Les termes anglais *upcoding* et *gaming* sont courants.

Au moment où le gouvernement libéral ouvre la porte au FPA, on commence ailleurs à le remettre en cause. Aux États-Unis et en Grande-Bretagne, où son implantation remonte à plus d'une décennie, on cherche des stratégies de gestion et de financement mieux adaptées à ce qui compte vraiment pour améliorer les soins aux personnes âgées et aux malades chroniques : une meilleure intégration des services et des stratégies d'amélioration de la qualité des soins.

En somme, le FPA ne contribue en rien à résoudre les vrais problèmes des hôpitaux, par exemple, la congestion, l'occupation des lits par des patients qui devraient être déplacés vers des ressources légères et les pressions causées par le manque de ressources externes. La coopération, l'intégration, la coordination des soins, la collaboration interdisciplinaire et la complémentarité permettent de s'attaquer beaucoup plus efficacement à ces défis complexes.

En outre, l'introduction du FPA dans les modes de financement sert-t-il, comme ce fut le cas ailleurs, de prélude à la mise en concurrence des établissements privés et publics ? Le plan pourrait ressembler à celui-ci : on sépare d'abord le fournisseur du payeur (CSSS et agences) ; ensuite, on définit un coût par acte ; puis on laisse le privé concurrencer le public sur les actes les plus rentables, forçant ce dernier à se cantonner dans les actes moins rentables, cercle vicieux d'où le privé ressort comme paraissant « plus efficace ». L'exemple de la Suède est riche d'enseignement : le « modèle de Stockholm » a instauré la concurrence dès 1992 et a connu d'ailleurs un certain succès dans les premières années, avec une amélioration de la productivité de 20 %. Mais cet effet fut de bien courte durée : en 1997, cette productivité était revenue au niveau de 1991. En étudiant le phénomène, les chercheurs ont constaté que les gains les plus importants avaient eu lieu dans les régions où l'on s'était surtout consacré à l'amélioration de la qualité et à l'intégration des soins plutôt qu'à la compétition[68].

Je pense que l'on fait fausse route en voulant payer nos établissements à l'acte et par épisode de soins. Il faut d'ailleurs s'interroger sur les vraies raisons poussant les administrations à réclamer ce changement par le biais de l'AQESSS, motivations qui pourraient bien être éloignées de l'intérêt des patients.

---

68. Voir note 66.

LE LÉGISLATEUR NE PARLE PAS POUR NE RIEN DIRE

L E LÉGISLATEUR ne parle pas pour ne rien dire ; l'Assemblée nationale n'adopte aucune loi sans dessein. L'*intention* est parfois évidente, parfois obscure, mais derrière chaque vote, il y a un but, une *volonté agissante*.

Ce qui me surprend toujours, c'est qu'on puisse ne pas s'interroger sur les intentions en amont de chaque loi, comme si elles étaient votées uniquement dans l'intérêt du plus grand nombre, variante des *intérêts supérieurs* de la nation. Je soumets donc l'hypothèse qu'une volonté réelle de privatisation du système de santé explique plusieurs des changements législatifs récents au Québec.

Dans notre régime politique de type britannique, l'exécutif d'un gouvernement majoritaire contrôle les résultats de chaque vote au Parlement. Le premier ministre, chef de l'exécutif, a donc le pouvoir d'obtenir ce qu'il veut du législatif et d'influer grandement sur le cours des choses – avec les avantages et les inconvénients qu'on sait. Voici ce qu'il y a derrière les lois adoptées au Québec depuis 2003 : la volonté agissante d'un ancien chef du Parti conservateur.

Me Cory Verbauwhede[69] me rappelait que deux voies complémentaires mènent à la privatisation des systèmes de santé : la voie passive et la voie active. La première est la plus sournoise : ne rien faire – ce qui est un choix, potentiellement grave d'ailleurs. Le système de santé est un organisme vivant qu'il faut continuellement développer, renouveler et réinventer afin d'en

---

69. Avocat, spécialiste du système de santé, impliqué au sein de MQRP.

assurer la pérennité, tout en respectant scrupuleusement chacune de ses fonctions vitales afin de ne pas lui nuire. Négliger des problèmes comme les délais d'attente indus ou les frais accessoires illégitimes rendra plus ardues les interventions ultérieures visant à les régler, ce qui favorisera des solutions toxiques pour le réseau public. On peut également couper les vivres, comprimer les budgets et même favoriser une fiscalité limitant la capacité d'agir du gouvernement. L'argent étant le nerf de la guerre, réduire les fonds équivaut à menacer la qualité des soins. Comme la privatisation, c'est une approche qui ne coïncide pas avec l'intérêt des patients.

La voie « active » est tout aussi néfaste. Il s'agit de prendre des décisions (gouverner) et de faire voter des lois (légiférer) affaiblissant le régime public. Pour y arriver, il faut bien préparer le terrain, en appliquant assez longtemps les mesures passives qu'on vient de mentionner. Parce qu'on s'en doute, si tout allait bien, sans attente, sans frais accessoires, sans problèmes, tout ce débat et certainement ce livre seraient sans objet : notre système de santé serait alors jalousement défendu sur la place publique par la population. Mais une fois le terrain ameubli, la voie active consiste à gouverner ou à modifier les lois afin de favoriser directement ou indirectement la croissance du financement ou de la prestation privée. Généralement les deux en même temps, puisqu'une synergie est essentielle : sans assurances privées, pas de possibilité de croissance pour la prestation privée, et sans prestation privée, pas de marché pour l'assurance privée. Le financement public peut toutefois compenser en soutenant la croissance de la prestation privée – comme c'est actuellement le cas !

Des exemples de décisions gouvernementales ? Le dossier des PPP, dont nous rediscuterons plus loin en détail : une

« ouverture » au marché qui change foncièrement la donne, le gouvernement voulant à tout prix construire des centres hospitaliers en mode PPP, même si personne n'approuve cette idée. Quand je dis « personne », c'est l'ensemble des groupes sociaux et professionnels impliqués dans ces domaines et la « machine » du MSSS. Je suis même prêt à mettre ma main au feu que le ministre Yves Bolduc était opposé aux PPP, même s'il ne l'avouera pas publiquement. Le gouvernement, ayant les intérêts supérieurs de la nation en tête, souhaitait pourtant impérativement que le CHUM, le Centre de santé McGill (CUSM) et la rénovation du Centre hospitalier universitaire de Québec (CHUQ) se réalisent sous ce mode. À terme, il a gagné son point pour les deux hôpitaux majeurs, laissant le CHUQ dans les griffes du public par suite des pressions subies. L'objectif poursuivi est clair : transformer la manière de concevoir, de construire et de gérer les grands hôpitaux, en ouvrant largement la porte à des consortiums privés plutôt que d'utiliser l'expertise publique pourtant reconnue, de sorte qu'on ne pourra plus refermer cette porte pour les décennies à venir. Le germe est planté.

Mais les modifications qui agissent encore plus durablement sont législatives, parce que la loi, c'est la loi, et qu'une fois adoptée, non seulement elle modifie le contexte des décisions gouvernementales, mais elle survit aux changements de gouvernement. À cet égard, le Québec a vu passer dans la dernière décennie des amendements législatifs d'importance, qui transforment peu à peu le système de santé et qui ont pour effet général de faciliter la privatisation du financement et de la prestation de soins.

Un cadre législatif complexe définit notre système de santé, ses orientations, sa structure, son fonctionnement, ses modes de financement – bref, il lui donne son identité. Le 9 juin 2005, ce cadre allait être ébranlé par un jugement potentiellement explosif prononcé par la Cour suprême: l'arrêt Chaoulli. Cette décision majoritaire controversée (une seule juge ayant fait pencher la balance) basait son argumentaire sur le fait que nos listes d'attente pouvaient contrevenir à certains aspects de la Charte québécoise des droits. La Cour a en effet statué que l'interdiction de souscrire des assurances privées pour obtenir les services couverts par le régime public et contourner les listes d'attente dérogeait à cette Charte[70]. En donnant raison à un médecin québécois, le Dr Jacques Chaoulli, qui se représentait héroïquement lui-même[71], et à un patient, M. George Zeliotis, ce jugement a mené à l'adoption de la loi 33 par l'Assemblée nationale. Le troisième pouvoir, le judiciaire, s'est immiscé dans le débat sur la privatisation du système de santé, débat qui, d'un point de vue démocratique, devait demeurer social et politique.

La juriste Marie-Claude Prémont, dès les jours suivants, nous mettait en garde contre les risques de dérive en prophétisant la suite:

> Le jugement pourrait devenir le point de départ d'un glissement vers un régime de santé à deux vitesses si, contrairement à ses promesses électorales, le Parti libéral du Québec (PLQ) décide de

---

70. « L'interdiction des assurances privées fait en sorte que seuls les gens très riches peuvent se payer des soins privés. Les autres doivent subir les délais du système public avec les conséquences que cela entraîne », écrivait la juge Marie Deschamps dans le jugement.

71. Le Dr Jacques Chaoulli est, selon certaines sources, un chercheur associé à l'Institut économique de Montréal, organisme de droite qui fait la promotion active de la privatisation du système de santé. http://healthcoalition.ca/archive/2006CSS-CHC-fr.pdf

profiter du signal ultraconservateur donné à Ottawa pour procéder à un réaménagement du système de santé favorable à l'industrie de l'assurance et des soins privés sous le faux prétexte du respect de la décision du 9 juin 2005[72].

Elle avait vu juste : le gouvernement Charest allait bel et bien utiliser cette décision judiciaire pour justifier des changements majeurs.

En théorie, le gouvernement du Québec, qui devait trouver une solution aux listes d'attente, ne faisait qu'obéir aux juges. En pratique, ses intentions étaient manifestement plus ambitieuses : il a sauté sur l'occasion pour remodeler le paysage des soins de santé, comme il le souhaitait peut-être depuis longtemps. C'est par le document « Garantir l'accès : un défi d'équité, d'efficience et de qualité[73] » qu'il a d'abord répondu au jugement Chaoulli, puis par le projet de loi 33, ayant mené à la couverture par des assurances privées de trois opérations chirurgicales, la création des CMS de type Rockland MD et les faveurs accordées aux centres de chirurgie où pratiquent des médecins non participants[74]. Cette agitation législative allait transformer le Québec en terreau fertile de l'expérimentation du privé en santé.

La loi introduisait aussi le principe de la garantie d'accès « publique-privée », qui créait l'obligation pour un établissement

---

72. Marie-Claude Prémont, « Régime public universel de santé du Québec. L'urgence d'agir à la suite du jugement de la Cour suprême », *Le Devoir*, 16 juin 2005.

73. http://publications.msss.gouv.qc.ca/acrobat/f/documentation/2005/05-721-01.pdf

74. Les médecins non participants sont retirés du programme de couverture publique de la RAMQ : ils peuvent pratiquer des actes couverts par l'assurance publique en recevant une rémunération directe des patients.

public de fournir un service médical dans un délai opportun, à défaut de quoi ce service pourra être rendu à terme par un organisme privé à but lucratif, le CMS[75]. Un rôle spécifique de prestation publique-privée a ainsi été dévolu aux CMS de type Rockland MD pour assurer cette «garantie d'accès». Une garantie «publique-publique» existait pourtant déjà pour la chirurgie cardiaque et la radio-oncologie et donnait de bons résultats; on aurait pu se contenter d'en raffiner les mécanismes et de l'étendre à d'autres interventions. Mais on a plutôt choisi d'en modifier la nature. Je prétends que la volonté de privatiser les soins n'est pas étrangère à cette décision. On est même allé plus loin, en réservant aux médecins non participants un champ spécifique, à savoir les chirurgies privées commandant un séjour de plus de 24 heures sur place. On favorise ainsi le *business* des médecins qui refusent de participer au régime public et l'éventuelle création d'hôpitaux privés parallèles offrant des séjours prolongés.

S'ajoutait à ces mesures l'ouverture à un principe d'assurance privée duplicative, applicable aux soins déjà couverts par le système public. Cette assurance duplicative vise trois opérations où il y avait de l'attente: les chirurgies de la cataracte, de la hanche et du genou. Cette ouverture partielle n'a toutefois rien donné, les assureurs ne s'aventurant pas sur ce «marché» un peu bancal, pour lequel il n'existe aucune demande. Par contre, cet empiètement sur un principe aussi fondamental constitue en soi une menace pour l'assurance maladie publique. En effet, par simple règlement, le gouvernement peut

---

75. Marie-Claude Prémont, «L'affaire Chaoulli et le système de santé du Québec: cherchez l'erreur, cherchez la raison», *Revue de droit de McGill*, vol. 51, n° 167, 2006.

dorénavant élargir la liste de la couverture privée, ajoutant au risque réel de voir un système privé parallèle prendre de l'expansion. Plusieurs croient que la réelle intention du gouvernement n'est pas tant de réduire les délais d'attente du réseau public que « d'appuyer ou de garantir la création d'un système parallèle de soins privés », payé en fait par le public et géré par le privé.

Un autre exemple législatif pertinent, quoique plus subtil dans ses intentions, est la Loi visant à améliorer la gestion du réseau de la santé et des services sociaux (loi 127), adoptée le 8 juin 2011[76]. Pièce législative maîtresse du ministre Yves Bolduc, d'apparence plus technique que la loi 33, elle pourra cependant contribuer à de nouvelles dérives et démontre à tout le moins la cohérence législative du gouvernement Charest.

Le système de santé avait déjà été ébranlé quelques années plus tôt par les transformations de structures du ministre Philippe Couillard, qui avaient pavé la voie à la réalisation d'un grand nombre d'interventions médicales à l'extérieur des hôpitaux et jeté les bases d'un réseau privé pouvant compter sur les ressources des établissements publics et profiter d'un financement public. La loi 127, pour sa part, mène peut-être à un déficit démocratique, sa logique centralisatrice donnant aux agences régionales et au ministre de grands pouvoirs sur les établissements. Ce glissement des pouvoirs est toutefois en apparente contradiction avec les modifications proposées à la

---

76. MQRP s'est opposé à cette loi dans un rapport présenté en commission parlementaire intitulé « Préserver la mission clinique et de service public au cœur du système de santé », dont plusieurs arguments sont repris dans ce texte, pour lesquels je remercie les coauteurs Lucie Dagenais, Cory Verbauwhede, Maxime Dussault-Laurendeau et Louise Authier.

composition des conseils d'administration, où l'on a augmenté la proportion d'administrateurs dits « indépendants[77] ».

On favorise ainsi la présence d'administrateurs « externes », souvent issus du milieu des affaires, au détriment des acteurs « internes », issus des milieux de la santé ou des groupes communautaires, lesquels disposent pourtant d'une expertise essentielle à l'organisation et à la dispensation des soins. Un changement d'ailleurs similaire à ce qu'on retrouve dans nos universités et qui procède de l'esprit de la « nouvelle gestion publique[78] ». Cette volonté de transformation de la gestion des institutions publiques vise le remplacement des missions de service public par une culture de la performance et de l'optimisation des processus – un vocabulaire d'ailleurs importé de l'entreprise privée. Il s'agit de substituer aux finalités éthiques et sociales de l'administration publique traditionnelle un mode de gestion mieux adapté aux impératifs de rentabilité qui animent les organisations privées – une autre *intention* cachée dont on discute fort peu[79].

---

77. « [...] la loi revoit d'abord la composition des conseils d'administration des établissements et des agences, en y prévoyant notamment la présence de membres indépendants. » Projet de loi n° 127 (Loi visant à améliorer la gestion du réseau de la santé et des services sociaux), 2011, chap. 15.

78. *New public management* est le terme anglais, dont l'usage est le plus répandu.

79. Selon Colin Talbot, le *new public management* « se caractérise par la mise en œuvre d'indicateurs de gestion budgétaire et comptable, d'outils de mesure des coûts dans la perspective de répondre à trois logiques d'action : celle de l'efficacité socio-économique (les objectifs énoncent le bénéfice attendu de l'action de l'État), celle de la qualité de service rendu (les objectifs énoncent la qualité attendue du service rendu à l'usager), celle de l'efficacité de gestion (les objectifs énoncent, pour le contribuable, l'optimisation attendue dans l'utilisation des moyens employés en rapportant les produits ou

Pourquoi donc retirer ces pouvoirs aux conseils des établissements tout en modifiant leur composition par l'ajout d'administrateurs externes? Cette apparente contradiction pourrait s'expliquer simplement: mettre en place des conditions permettant de transformer graduellement le système de santé selon un modèle de gestion affairiste, axé sur les «résultats», la performance et la concurrence – plutôt que sur la coordination, l'intégration et la coopération dont nous avons bien davantage besoin. Cette approche risquerait pourtant de mettre à mal les missions cliniques fondamentales des établissements à la faveur d'une mise en compétition des ressources, et, plus profondément, d'un délaissement du droit du citoyen à recevoir des services.

Déjà, en 1991, la Loi sur les services de santé et les services sociaux avait été quelque peu travestie par l'insertion de l'article suivant: «Le droit aux services de santé et aux services sociaux et le droit de choisir le professionnel et l'établissement [...] s'exercent en tenant compte [...] des ressources humaines, matérielles et financières dont il dispose.» Dès lors que ce droit n'était plus absolu, il devenait donc subsidiaire à l'organisation du réseau. Réduire les ressources humaines, matérielles et

l'activité obtenue des ressources consommées)». Une telle approche revient donc, selon la formule de l'auteur, à «désinstitutionnaliser l'institution», c'est-à-dire à la considérer comme une organisation privée. En cela, le *new public management* s'oppose aux approches traditionnelles, notamment françaises, de l'institution qui, en raison même de ses missions de service public ou de puissance publique, était soumise à un statut et à des règles dérogatoires. Colin Talbot, «La réforme de la gestion publique et ses paradoxes. L'expérience britannique», *Revue française d'administration publique*, vol. 1, n° 105-106, 2003, p. 11-24 et p. 137, www.cairn.info/revue-francaise-d-administration-publique-2003-1-page-11.htm

financières d'un établissement pouvait dorénavant avoir pour conséquence de réduire les droits d'un malade, tout en lui soutirant une part des recours juridiques permettant de faire valoir son droit d'accès aux services.

Sans une volonté politique pouvant expliquer cette cohérence, on ne peut que rester admiratif : la loi 33, la loi 127 et le projet de FPA ressemblent à s'y méprendre aux pièces d'un puzzle construisant peu à peu l'image d'une mise en concurrence du privé et du public dans un contexte de marchandisation des soins. Avec l'assurance privée, la mixité, la prestation privée et le ticket modérateur, deux classes de patients seraient ainsi discernables : les « rentables », permettant d'atteindre les « objectifs de performance » en les soignant à moindre coût ; et les « moins rentables », les malades chroniques, les personnes handicapées et les malades psychiatriques, requérant plus de ressources et pour lesquels les « résultats » sont plus difficiles à quantifier.

Tout cela sans compter le rôle potentiellement catalyseur du juridique, national, comme on l'a vu dans le cas de l'arrêt Chaoulli, ou même supranational : une plainte testant l'ouverture du « marché » des soins a déjà été déposée devant l'ALÉNA par une multinationale américaine, Centurion Health Corporation ; par ailleurs, les négociations actuelles de libre-échange avec l'Europe suscitent des inquiétudes quant à notre capacité de vraiment protéger le caractère public du système de santé. Allons-nous voir de larges pans de nos mesures législatives contestés par les promoteurs internationaux du développement du privé en santé ? Il faut espérer que non.

Fort heureusement, au-delà de l'existence ou de l'absence d'intentions dont on pourrait débattre longtemps, l'avenir appartient encore à ceux... qui le font! Il n'y a rien d'irréversible. C'est à ceux qui croient au système de santé public d'agir, afin d'influencer le cours des choses.

Dérives éthiques

En conflit d'intérêts* ?

*Le médecin doit sauvegarder en tout temps son indépendance
professionnelle et éviter toute situation où il serait en conflit d'intérêts,
notamment lorsque les intérêts en présence sont tels qu'il pourrait être porté
à préférer certains d'entre eux à ceux de son patient ou que son intégrité
et sa loyauté envers celui-ci pourraient être affectées.*

Extrait du Code de déontologie des médecins,
Québec, édition courante, juin 2012

Aux États-Unis et au Canada, les pharmaceutiques engloutissent des dizaines de milliards annuellement aux seules fins de marketing médical *direct* – bien davantage que les sommes consacrées à l'enseignement de la médecine et à la recherche. Pourtant, rares sont les médecins qui osent admettre que ces procédés les influencent, même si la chose est documentée de façon irréfutable. Ce marketing puissant produit exactement les effets recherchés : faire vendre.

L'incorruptibilité médicale est un mythe répandu dans la profession. Nier l'existence d'un conflit d'intérêts n'est pourtant salvateur qu'à court terme pour le médecin. Au moins, admettons le problème et, ensuite, travaillons à trouver des solutions.

---

* Une première version de ce texte a d'abord été publiée dans *L'Actualité
médicale* en février 2002 ; il a été mis à jour et transformé pour le présent essai.

Je dois d'abord m'astreindre personnellement à faire mon *mea culpa*, parce qu'en dépit de ce que ma mère disait, je ne suis pas un ange et j'ai péché. Jadis, moi aussi, je me suis promené dans de chics hôtels pour porter la bonne parole et j'ai goûté à de bons vins aux frais des pharmaceutiques, hélas. Alors pourquoi maintenant avoir de tels scrupules?

Le sentiment de gêne qui m'a convaincu du caractère incestueux des relations entre médecins et pharmaceutiques m'est venu en 2001 en écoutant un récit tout simple, celui d'un petit voyage fait par quelques-uns de mes confrères. Récit inspirant, remarquez : loin dans le nord du Québec pour une pêche au gros et hébergement dans une belle cabane en bois rond – la totale quoi, pour un ressourcement en pleine nature. Le problème, vous l'aurez compris, c'est que ce voyage n'avait rien coûté aux médecins : ils étaient tous invités par un représentant pharmaceutique, au demeurant fort sympathique – ils le sont tous –, sous prétexte d'une séance de formation un peu bidon. Mes amis semblaient n'en éprouver aucune gêne, alors que pour ma part je n'en revenais pas, un peu comme si je l'avais ressentie à leur place.

Une fascinante littérature sur le sujet confirme l'ampleur du phénomène : ces techniques de marketing sont souveraines pour influencer les comportements, qu'on parle de médicaments, de hamburgers ou de souffleuses à neige. Le retour sur investissement est direct, prévisible, systématique et aisément mesurable. Par exemple, ce n'est pas pour rien qu'en 2001, l'utilisation d'antibiotiques surpuissants pour traiter les otites était très «tendance» en Amérique, alors qu'on savait déjà que ces affections guérissent souvent sans traitement – une approche en vigueur dans plusieurs pays d'Europe. Il m'avait vraiment fallu être myope (et heureux de l'être, comme la plupart des médecins) pour ne pas avoir compris l'ampleur des effets du marketing pharmaceutique direct, cette « éducation médicale continue » qui, pour les pharmaceutiques, n'est qu'une des phases d'un marketing zélé, ambitieux, aussi magistralement organisé qu'ubiquitaire.

C'est que ces stratégies s'appliquent partout : affectant une bonne partie de la recherche et la plupart des activités de formation médicale continue, elles découlent d'une stratégie globale d'influence, dont les médecins ne contrôlent ni l'ampleur ni les effets et qui les transforme en vecteurs efficaces d'un objectif vieux comme le monde : vendre plus.

Certains la trouveraient moins drôle s'ils en savaient davantage : en cette ère du consentement éclairé, les patients approuveraient-ils de voir les pharmaceutiques dorloter ainsi leurs docteurs ? Parce que ce sont bien les patients qui payent ! Quelques dollars de plus par prescription pour financer les amuse-gueules, sauternes et voyages, n'est-ce pas là un judicieux investissement pour qui tient à sa santé ? *Mens sana in corpore sano*, comme on dit.

Cela me rappelle un dessin où l'on voit deux cochons en train de manger dans un enclos. L'un dit à l'autre : « N'est-ce pas formidable ? La nourriture et le logement sont gratuits ! » En effet, si le produit ne vous coûte rien, c'est que vous êtes vous-même le produit.

Leader d'opinion suprême[*]

Qu'est-ce que l'éducation médicale continue? «Un ingrédient vital du marketing.» Rien de moins! C'est ce que j'avais lu en 2001, tombé par hasard sur un texte décapant[80] décrivant dans le menu détail les stratégies employées par les pharmaceutiques pour convaincre les médecins de prescrire leurs produits.

On se doute du rôle trouble des représentants de l'industrie pharmaceutique dans la sphère médicale. Mais l'ampleur des moyens et l'envergure de la réflexion stratégique et des techniques décrites dans ce document m'avaient médusé. J'ai alors pris une décision que je n'ai jamais reniée ni regrettée depuis: garder une distance respectueuse entre ma pratique médicale et l'industrie pharmaceutique, en évitant notamment toute rémunération directe.

Ce «Guide pratique de l'éducation médicale» m'avait laissé perplexe et fasciné, saisi comme par une douche froide. Sommes-nous donc, comme profession, à ce point et avant tout, un simple *marché*? À la lecture de ce petit traité écrit dans le langage du marketing, cette découverte m'avait sonné.

Le besoin de formation continue en médecine est évident. Le savoir médical ayant une demi-vie de cinq ans, à quoi

---

[*] Une première version de ce texte a été publiée comme éditorial dans *MedActuel-FMC*, supplément au journal *L'Actualité médicale*, en septembre 2001, puis réécrite pour le présent essai.

80. Un supplément de la revue *Pharmaceutical Industries* (qui porte d'ailleurs fort bien son nom): «A Practical Guide to Medical Education», *Pharmaceutical Industries*, 2001.

ressemblerait la médecine sans une mise à jour continue de ce savoir ? La formation médicale se décline sous de multiples formes, certaines plus crédibles, comme un congrès organisé par un organisme sérieux, d'autres questionnables, comme une conférence locale précédant un petit « vins et fromages » cordial où tout est « gratuit », d'autres carrément complaisantes, comme ce voyage dont j'ai parlé plus haut. En réalité, les médecins sont régulièrement conviés à des activités qui contribuent à garder leur niveau de connaissances à jour. C'est souvent pertinent, parfois essentiel et habituellement fort sympathique. Et fréquemment gratuit. Pourquoi en effet ne pas joindre l'utile à l'agréable ?

Plusieurs médecins agissent comme formateurs, un jour à l'intention de praticiens du quartier et l'autre pour les meilleurs spécialistes. Lorsqu'il est régulièrement sollicité, un médecin respecté devient, dans les faits, ce qu'on appelle un *leader d'opinion*, qui à son tour influence les opinions de ses confrères, module leur compréhension des réalités de la pratique, oriente certains de leurs choix. C'est ainsi que l'on forge l'opinion – ici médicale –, comme ailleurs on le fait pour les hamburgers ou les partis politiques.

Mais, parlant de leader d'opinion, qui « *lead* » vraiment ? Et surtout, qui paie ? Ce sont, de façon constante, les pharmaceutiques, ces généreuses pourvoyeuses de ces fonds qu'on dit sans restriction, c'est-à-dire utilisés sans droit de regard – du moins en théorie. Mais il faut mesurer l'influence de ces habitudes sur la pratique médicale. Et distinguer la part du libre choix médical (éclairé, rationnel, scientifique), celle de l'influence (indue, irrationnelle, subconsciente) et celle de l'intérêt bien compris.

Rimbaud ayant dit « On me pense », oserais-je dire la même chose pour les médecins ? Bien sûr, une formation scientifique permet le développement d'un esprit critique, et chacun sait qu'une forte personnalité rend imperméable à de telles influences. Qui en douterait ? D'autant plus que les leaders d'opinion, bâtissant leur crédibilité sur l'étude poussée de questions complexes, la recherche et un engagement soutenu dans la clinique et l'enseignement, ont assurément un parcours garant de leur indépendance d'esprit.

Néanmoins, dans ce singulier manuel technique, il s'agissait de mettre en lumière l'envers du décor et d'en confirmer les impératifs commerciaux, jusqu'à rendre toute naïveté impossible. Chacun se doute qu'on n'investit pas des dizaines de milliards sans viser un retour sur l'investissement. Appliquée ici à la médecine, cette approche structurée et diablement cohérente est absolument rentable. Si les médecins n'y étaient les dindons de la farce, ce serait presque ordinaire.

Ce marketing voit grand. Son objet ? La totalité du processus scientifique, rien de moins. De la « préparation du terrain pour créer de l'insatisfaction dans le marché » jusqu'à la « planification des publications » (choix des journaux, *timing*, déploiement séquentiel d'articles de revues par des leaders d'opinion reconnus – et subventionnés), de la judicieuse attribution de bourses en ces « temps de dépendance envers les fonds pharmaceutiques » (pour favoriser l'éclosion de mégaprojets bien calibrés) jusqu'aux démarches ciblées auprès de dirigeants d'organismes en vue de peser sur les consensus, et d'efficaces « programmes de développement des leaders d'opinion » (comme on dirait de chevaux de course) jusqu'au positionnement stratégique des meilleurs dans les congrès dominants, une telle entreprise paraîtrait surréaliste, démesurée, machiavélique, si elle n'était au fond banale, simple application particulière des stratégies modernes de communication.

On y décrit, détails exquis, les techniques éprouvées permettant « d'élever le profil » des leaders d'opinion, pour leur permettre de faire « passer le message désiré », ou comment leur participation aux « comités aviseurs[81] » est une méthode sûre pour encourager « le sentiment d'allégeance à long terme ». On y explique l'importance stratégique de ne pas « surexposer » ces leaders, et l'intérêt tactique, pas immédiatement évident, de travailler avec des vedettes (même sceptiques), souvent « les plus crédibles », à cause de ce puissant « effet halo : être vu simplement *avec* est déjà excellent [...] pourvu que l'on reconnaisse les raisons de cet investissement ».

On y rappelle que la notion d'expert est relative : un spécialiste local sera « parfait » pour un groupe de praticiens généraux, alors qu'on « mobilisera les vrais leaders », passablement plus chers, pour les audiences nationales, soulignant au passage l'importance de disposer à leur sujet de bases de données permettant de suivre l'évolution de leurs convictions dans le temps. C'est écrit tel quel ! Enfin, on rappelle qu'il ne faut pas craindre leurs refus : appréciant « se tenir debout sur une scène afin de démontrer la profondeur de leur savoir », les leaders d'opinion sont par ailleurs aisément remplaçables.

Tout cela coule de source, c'est d'un pragmatisme de bon aloi. S'agit-il, dans le meilleur des mondes possibles, d'une concordance idéale d'intérêts ? Ou bien, plus probablement,

---

81. Cet anglicisme désigne des comités consultatifs d'experts médicaux, réunis en théorie pour obtenir leur opinion sur tel ou tel produit. En pratique, ces groupes permettent surtout de créer des alliances, de juger de la réceptivité des médecins face à telle proposition, de trouver des pistes intéressantes pour convaincre d'autres médecins et d'établir des partenariats efficaces de recherche ou autres.

d'un processus de manipulation, où la liberté de pensée médicale est moins entière qu'on ne le pense ? C'est là où le bât blesse : beaucoup d'études rigoureuses montrent que les médecins sont profondément et durablement influencés par ces méthodes. Ceux qui croient ne pas l'être sont candides ou exceptionnels.

Il vaut mieux prendre acte de ces phénomènes et les comprendre. Certes, nécessité fait loi, mais plutôt que de fermer les yeux ou de se croire immunisés, les médecins doivent en débattre et s'informer afin de mieux éclairer leurs choix. Il faut aussi mieux former les étudiants et résidents à ces réalités.

Il faut encourager une réflexion éthique et scientifique et poursuivre le développement d'un code de conduite individuel et collectif rigoureux, dont l'embryon commence à prendre forme. Car si les médecins sont devenus un tel marché, le temps est à l'action. Portefeuille ou pas, c'est une obligation.

La course à l'information médicale[*]

L'émergence des nouvelles technologies de l'information a bouleversé le rythme de la diffusion des connaissances en médecine comme ailleurs. Récit véridique d'une expérience vécue, à la suite de la publication en 2001 d'une grande étude traitant de l'usage du clopidogrel (un antiplaquettaire dont l'effet est un peu similaire à celui de l'aspirine) dans l'angine instable, cas de figure où l'angine peut se compliquer d'un infarctus aigu du myocarde.

LE 19 JANVIER 1996, découvrant Internet sur l'ordinateur de ma sœur, je croyais avoir la berlue. Tapotant mon clavier, j'étais entré en communication avec un aborigène australien, avec qui j'avais pu échanger quelques mots. Foudroyant. Quelques minutes plus tard, j'ai toutefois compris que par le biais du serveur de Sydney par où cet échange transitait, je m'adressais en fait à un bûcheron d'Amos nommé Denis. Ce qui n'est pas sans manquer de pittoresque.

Le monde venait de changer ! Ma passion pour Internet naissait dans l'enthousiasme, mais aussi dans la certitude que rien ne serait plus jamais pareil. D'ailleurs le mot « berlue » vient de « belluer », c'est-à-dire « éblouir ». Ébloui ! Voilà ce que j'étais.

Les médecins sont constamment à la recherche de la meilleure information médicale disponible, celle qui leur permettra de traiter leurs patients selon les normes les plus élevées. Internet a pris une place aussi large que justifiée dans ce rôle complexe. Craig Feied, pionnier de l'usage de la Toile en

---

[*] Ce texte a d'abord été publié comme éditorial dans *MedActuel-FMC*, supplément de *L'Actualité médicale*, en juin 2001 puis remanié pour la présente publication.

médecine d'urgence, affirmait avec justesse que la plus importante transformation de la médecine consisterait dans l'intégration efficace des nouvelles technologies de l'information à la pratique. Il avait parfaitement raison. Les cliniciens doivent aujourd'hui avoir accès en temps réel aux ressources fabuleuses d'Internet, l'ordinateur étant devenu aussi indispensable et vital à une bonne médecine que le stéthoscope. Mais il y a un revers à cette médaille.

Retournons ensemble au 19 mars 2001, dans mon sous-sol. C'était la première journée du 50e congrès de l'American College of Cardiology; il était 20 h 45. Je prenais ce soir-là comme d'habitude mes courriels, préparant en même temps une conférence que je devais livrer, quelques jours plus tard, à Calgary – à propos de la place grandissante d'Internet dans la vie du médecin d'urgence justement. Je ne croyais pas si bien dire.

Abonné à trois « groupes de discussion », qui me permettaient de garder un contact de chaque instant avec mes collègues urgentologues du monde entier, je recevais, comme d'habitude, mon lot de messages quotidiens. Je suis tombé, comme les 1 171 autres collègues de la liste EMED-L[82], sur un envoi du Dr Alan Clark, copain virtuel du Missouri. Ayant écouté CNN le matin, il y avait entendu ceci: « Les patients recevant leur congé de l'urgence pour de l'angine instable doivent recevoir quatre comprimés de Plavix[83] immédiatement. » Sans doute s'agissait-il des résultats de l'étude CURE[84] portant

---

82. Plus grosse liste de diffusion internationale en médecine d'urgence, à l'époque, en anglais. Elle existe toujours en 2012.

83. Nom commercial du clopidogrel.

84. Salim Yusuf, « The Clopidogrel in Unstable Angina to Prevent Recurrent Events Trial Investigators », 50e congrès de l'American College of Cardiology, 19 mars 2001.

sur l'usage du clopidogrel dans l'angine instable – une étude qu'on attendait avec fébrilité, entièrement payée par le fabricant. Tout de suite, j'ai vu que quelque chose clochait : depuis quand donnait-on congé à un patient en angine instable, alors qu'on doit l'hospitaliser ? Et surtout, d'où venait-elle, cette information ? Du congrès de l'American College of Cardiology ?

L'un des risques « reconnus » d'Internet est certainement qu'on y trouve tout et n'importe quoi. Outil de communication avant tout, il permet un accès diablement efficace à l'information médicale de pointe, mais aussi à tout ce qu'on peut imaginer de rumeurs. Comme ils disent plus à l'ouest : *garbage in garbage out*. Relisant le courriel d'Alan Clark, comment être certain de ce que je lisais ? Allait-on désormais congédier massivement de l'urgence les patients en angine instable avec quatre comprimés de clopidogrel ? Rien de tout cela : simplement le fruit imparfait d'une stratégie de diffusion précipitée. Alan Clark n'avait qu'à bien se tenir : ayant déjà à cette époque un certain penchant pour la cardiologie d'urgence, je me suis attelé à la vérification. D'abord, trouver la source : CNN ! Il était 20 h 53.

Clic ! Je me branche sur le site coloré du canal carburant à l'information continue. J'y trouve, en page principale, rien de moins que ceci : « Une pilule rose nommée Plavix pourrait changer la façon dont les patients avec douleurs thoraciques sont traités et sauver des milliers de vies. » L'information ayant été publiée à 11 h 58, le matin même, j'avais neuf heures de retard sur l'évolution de la science. Il s'agissait de rattraper le temps perdu !

Mais avais-je assez d'information pour prescrire la pilule rose dès le lendemain ? Non, bien entendu. Il me fallait être sûr, au risque d'accumuler quelques minutes de retard supplémentaires. Garder ses connaissances à jour (devrait-on dire « à l'heure » dorénavant?) est épuisant, mais il faut choisir : ça ou un stage de recyclage. Vite! Mais où trouver une source fiable pour cette information? Il suffisait d'y penser : le site web officiel du congrès où avait été annoncée la bonne nouvelle, Alan Clark avait mis l'hyperlien dans son envoi. Il était 20 h 57. Clic!

L'information était bien en évidence sur le site. On pouvait encore lire « sous embargo » en frontispice. Du sérieux, pas de doute. L'embargo avait été levé une fois terminée la présentation du Dr Salim Yusuf, chercheur de l'université McMaster et investigateur principal de l'étude CURE, et la bonne nouvelle diffusée librement. J'apprenais que ces résultats constituaient l'une des plus importantes avancées dans le traitement de l'angine instable et que l'aspirine, que je croyais naïvement si efficace pour ce problème, était ravalée au rang de médicament « faible ». Incroyable : l'aspirine, qui réduisait pourtant de moitié le risque de progression vers l'infarctus et du quart la mortalité liée à l'angine instable, n'était plus que le parent pauvre de la toute nouvelle super-aspirine rose, le clopidogrel! Remarquez la vitesse : la conférence de Salim Yusuf avait débuté à 10 h 15 et la nouvelle s'était retrouvée sur CNN à 11 h 58.

J'ai fait le tour du site de l'American College of Cardiology : non, vraiment, pas assez de données pour changer maintenant ma pratique, décision qui méritait d'être plus mûrement réfléchie. Mais quelle heure était-il? 21 h 12! Diable, déjà 11 heures interminables après la diffusion des résultats. C'était assez angoissant pour un médecin voulant rester à la fine pointe de la recherche. Je devais creuser, trouver rapidement de quoi étayer ces conclusions. Comment faire? Une idée : me rendre sur le site TheHeart.org, site développé par une compagnie québécoise avant-gardiste, édité par le Dr Éric Topol, une sommité payée comme il se doit pour y donner journellement son opinion. Il était 21 h 15.

Clic! Hasard ou non, le premier billet affiché sur le site répond directement à ma question et m'offre enfin des données. L'étude CURE avait montré que le clopidogrel permet une diminution relative du risque combiné de mortalité cardiovasculaire, d'infarctus ou d'accident vasculaire cérébral de l'ordre de 20 %. Hourra! Je remarquai en passant que c'était un gain passablement mineur par rapport à celui réalisé par l'aspirine 20 ans plus tôt... mais bon, pourquoi gâcher son plaisir? J'y apprenais également ceci : l'étude CURE « allait transformer le clopidogrel en un des médicaments les plus vendus au monde, avec un marché immense ». Ouah! Malheureusement, je ne disposais pas d'actions dans cette entreprise. Mais il y avait tout de même de quoi se réjouir à l'idée qu'un médicament de cette importance serait soutenu par un solide financement.

Y avait-il des risques? On relevait une augmentation des saignements majeurs de 1 %. Mais, comme le disait Yusuf lui-même : « Cette augmentation de 1 % des saignements majeurs, qui ne menacent pas la vie, est un petit prix à payer pour les bénéfices réalisés. » Ouf! On avait joint sur le site un petit diaporama PowerPoint présentant « à chaud » les principaux résultats de l'étude.

Je pris alors une petite pause, pour réfléchir quelques minutes au « bon vieux temps », celui de ma formation, dans les années 1980 : quand on entendait parler d'une étude fraîchement publiée dans le *New England Journal of Medicine*, journal médical le plus prestigieux au monde, on en discutait à la cafétéria ou au département, après quoi on attendait d'autres études en confirmant les résultats. On hésitait, on était prudent, on réfléchissait… On brettait, finalement! À preuve, en 1993, un chercheur avait mesuré l'intervalle moyen entre l'apparition de données probantes et la publication de recommandations par des experts. Pour certains traitements similaires à ceux de CURE dans l'infarctus, ce délai publication-recommandation était alors de… 13 ans!

Revenu à mon ordinateur, je me posai la question: mais si, aujourd'hui, on allait trop vite? Allais-je prescrire le clopidogrel demain, comme certains experts le suggéraient, sur la seule base de résultats non encore publiés, simplement diffusés dans un congrès, fût-il prestigieux, par un seul chercheur, fût-il illustre? De plus, auparavant, une telle étude devait être confirmée par au moins une autre, réalisée par des chercheurs distincts, avant de devenir une «vérité» médicale.

Le cardiologue Robert Califf, sommité reconnue en angine instable, également membre du comité éditorial du site *The-Heart*, avait pourtant émis ce commentaire le jour de la diffusion des résultats: «Je vais maintenant traiter tous mes patients en angine instable [avec le clopidogrel]. C'est difficile de voir à quels patients je ne le donnerais pas.» Un autre, du même calibre, le Dr Chris Cannon, ajoutait: «Il y aura une ruée dans les pharmacies la semaine prochaine. Nous allons commencer à le donner aux patients dès demain.» Les temps changent, la médecine aussi. Deux des experts les plus reconnus affirmaient s'engager dès maintenant à utiliser le clopidogrel pour tous leurs patients en angine instable. La nouvelle norme serait-elle dorénavant d'attendre 13 heures plutôt que de 13 ans avant de prescrire un nouveau médicament? Étais-je un réactionnaire, à me demander ainsi si je devais encore attendre?

Je lus l'affirmation suivante, plus troublante encore : « Califf est allé encore plus loin et a dit qu'il pensait commencer à prescrire le clopidogrel aux patients en angine stable, au nombre de 12 millions aux États-Unis seulement. » Ce n'était plus un simple cas de conscience, je ressentais un vrai malaise. Apparemment, certains allaient étendre la portée de ces résultats à une autre catégorie de patients, ce qu'on ne doit jamais faire ! Que faire du risque de 1 % de saignements majeurs ? Et que faire des 14 milliards de dollars que cela coûterait pour traiter l'ensemble de ces patients pendant 1 an ? On trouverait sans doute une étude pharmaco-économique pour justifier tout ça… Et il fallait l'avouer, l'étude CURE ayant coûté 50 millions de dollars à la compagnie, une telle extrapolation offrait un excellent potentiel de retour sur l'investissement. Il était maintenant 22 h 35.

Clic ! Revenant à EMED–L, au fait de ces données plus précises que celles de mon collègue Alan Clark, j'envoyai un message où j'exprimais mes doutes. Juste avant minuit, un autre urgentologue de renom, le Dr James Li de Harvard, fervent d'aide humanitaire, concluait l'échange : « 693 dollars dépensés pour 8 mois de clopidogrel pourrait traiter 200 cas de malaria au Malawi ou permettre la vaccination de 10 000 enfants au Bangladesh. » Sur ces pensées, il était temps d'aller me coucher. Il était 0 h 23.

J'avais cependant de la difficulté à m'endormir : l'opinion trop rapidement diffusée d'experts mondialement reconnus devait-elle prévaloir ? Un patient en angine instable, ayant peut-être écouté CNN, allait-il exiger de se faire prescrire du clopidogrel dès le lendemain matin ? Pouvait-on modifier les choix thérapeutiques à partir de résultats non révisés par des pairs, non

publiés, encore fragmentaires? Certes, Internet transmet efficacement et rapidement l'information médicale, mais c'est une
voie qui contourne les balises permettant de fonder la crédibilité
scientifique.

Il ne faut pas se surprendre qu'en d'autres lieux, sur des sites
grand public notamment, on ait manqué de rigueur dans les
jours suivants. Étant donné les moyens déployés pour diffuser
les résultats de CURE, plusieurs sites, journaux et chaînes de
télévision ont martelé l'information. On a pu observer le
déploiement d'une série d'échos fascinants, mais souvent
déformés. Dans les jours qui ont suivi, une rapide recherche sur
Internet m'a permis de trouver près de 50 références traitant,
pour divers publics, de ces résultats.

Le journal *USA Today* affirmait notamment sur le web dès le
19 mars au matin que le clopidogrel «allait sauver des milliers
de vies s'il était utilisé en plus de l'aspirine par les patients
souffrant de problèmes cardiaques». Ils commettaient la même
erreur que CNN : l'étude CURE n'avait *pas* montré que le clopidogrel pouvait sauver la moindre vie! Pour sa part, le
Dr Cannon s'émerveillait dans le *Wall Street Journal*: «Nous
n'avons jamais vu un effet d'une telle importance dans cette
population de patients.» Il oubliait complètement les résultats
plus anciens de l'aspirine dans l'angine instable, qui étaient
nettement plus significatifs. Mais le plus intéressant a été le
débat qui s'est développé durant plusieurs jours sur le site
TheHeart.org, dans la section «Forum». Des experts de partout y ont discuté en profondeur et librement de toutes les
controverses entourant l'étude.

Au-delà de l'efficacité sidérante de l'outil Internet, de sa
rapidité, de son accessibilité, il demeure que le monde médical

est sujet aux pressions grandissantes d'intérêts divers, le plus souvent financiers. Comme médecins, il nous faut donc aiguiser à proportion notre sens critique. Discuter en anglais avec un bûcheron nommé Denis en pensant avoir au bout de la ligne un aborigène australien est sans conséquence, mais pour ce qui est de l'information médicale, il faut protéger le processus de validation scientifique habituel. C'est une question de crédibilité.

Grippe déontologique[*]

AVEC L'ANXIÉTÉ mondiale suscitée par la crise de la grippe A(H1N1), en 2009, le réseau de la santé était tout entier en émoi. S'agissait-il de la pandémie catastrophique que tout le monde redoutait depuis des décennies?

Les opinions fusaient dans tous les sens : celles des anti-vaccins radicaux, celles des provaccins à tout prix. Chroniqueur médical à RDI-Santé, je tentais de trouver une position raisonnable à exprimer en ondes, ayant dû revenir plusieurs fois sur le sujet. Dans le feu de l'action, ce n'était pas si facile à trouver. Par exemple, le vaccin contre la grippe A(H1N1) devait-il être largement administré à toute la population ? J'étais plutôt en accord : pas tellement pour le risque individuel, marginal, mais pour éviter de faire craquer le système si jamais un trop grand nombre de patients et de membres du personnel devaient être touchés. Mais j'avais des doutes.

Comme médecins, notre réflexion, nos positions, notre compréhension de l'existence humaine passent par le prisme scientifique, du moins pour notre profession, et notamment la formulation d'hypothèses. Mais qui dit « hypothèses » dit questionnement, capacité d'interroger et de s'interroger. Certes, il arrive que l'action prime sur la réflexion, notamment en médecine d'urgence, où l'on peut effectuer une intubation pour permettre à un patient de respirer avant même de connaître la cause de son état. Mais cela demeure une exception.

---

[*]   Les deux textes qui suivent ont d'abord été publiés sur le site Professionsante.ca à l'automne 2010 avant d'être mis à jour en juin 2012.

Durant une crise, les gens se divisent rapidement en deux groupes : ceux qui agissent et ceux qui mettent sur pied des comités. Les premiers prennent la direction des opérations, car l'action est cruciale. Mais doit-on pour autant limiter les questions ? On répondra habituellement par l'affirmative, car la gestion de crise qui s'installe est de type militaire. Ainsi, comme le rappelle le rapport d'évaluation du msss sur la crise de la grippe A(H1N1) : « L'adhésion à un modèle de commandement de type *top-down* en temps de crise est généralisée à tous les paliers de gouverne. On considère que celui-ci accélère les interventions et facilite leur cohérence, l'implantation des systèmes d'information, ainsi que la gestion des fournitures et des vaccins, dont la disponibilité était limitée[85]. »

Étions-nous réellement en pleine crise ? Les médias, en tout cas, en étaient convaincus. Pourtant, les taux d'occupation des urgences montréalaises étaient inférieurs à 110 %, un chiffre au-dessous des moyennes habituelles de fin d'automne. Seulement 5 % des lits étaient occupés par des cas de grippe.

Une crise ? Tout dépend. On ne peut pas *imposer* un sentiment de crise, il apparaît de lui-même – ou non. Une partie du désordre venait du fait que nous nous comportions comme s'il y avait une crise, sans que rien, dans la réalité, ne vienne justifier toute cette agitation. Étions-nous submergés par les morts ? Non. Alors quelle crise ? Celle des consultations aux urgences pédiatriques ? Celle des files d'attente pour le vaccin ? Celle de l'emballement médiatique ? Celle de la confiance ?

---

85. msss, « La gouvernance du réseau de la santé et des services sociaux en temps de pandémie d'influenza A(H1N1) en 2009 au Québec : les points de vue d'acteurs des paliers national, régional et local », rapport d'évaluation, 2012, p. 2.

Il y avait certes ces décès d'enfants, tragiques… Mais il fallait garder la tête froide : les enfants meurent de la grippe, rarement, mais ça arrive. Et tant qu'il y aura des grippes, il y aura des morts. Une étude américaine sur la grippe de la saison 2003-2004 dénombrait environ 150 morts d'enfants. À l'automne 2010, il semblait certes y avoir une plus grande proportion d'enfants décédés, mais au total, il y en avait moins que lors de la grippe saisonnière. Néanmoins, comment réussir à passer un message de calme et de solidarité dans ce brouhaha ?

Au fur et à mesure que la crise avançait, les bras m'en tombaient. J'assistais, aussi impuissant que tous, au grand dérapage de l'information publique touchant la grippe A(H1N1). À l'ère d'Internet, l'information virale, constamment en mutation, voyageait plus vite que le virus, résistait au discours dominant, déviait des canaux de transmission habituels, bref, échappait à tout contrôle. Parcourant ici et là les blogues, j'étais étonné de voir à quel point le web 2.0 contribuait à la montée de la peur. Une double peur : autant celle du virus, dont l'impact était mal expliqué, que celle du vaccin, alimentées par d'habiles communicateurs qui savaient exploiter les vieilles paranoïas collectives. Cette double déferlante anxiogène laminait le jugement et produisait son lot d'effets secondaires : alors qu'initialement on craignait que la population ne se méfie trop du vaccin, elle s'est ruée en masse vers les centres de vaccination dès les premiers décès, centres qui peinaient à vacciner dans le bon ordre.

Devant cette montée d'informations divergentes, souvent contradictoires, voire cacophoniques, on se demandait comment communiquer efficacement. Les médias contribuaient à l'agitation par leur effet d'amplification. Pourtant, ce n'était pas sur la virulence de cette grippe A(H1N1) qu'il fallait insister, mais sur le risque d'une propagation rapide. Le risque m'apparaissait collectif : celui d'une vague plus abrupte, conséquence d'une contagion plus forte (qui semblait avérée à ce moment), aboutissant à plus d'hospitalisations, à un besoin accru en lits de soins intensifs et en personnel, toutes choses dont nous aurions manqué. Cela aurait bloqué l'accès aux lits d'hôpitaux ou de soins intensifs, pouvant affecter tout le monde, même et surtout ceux n'ayant pas la grippe.

Cette « crise », on le sait aujourd'hui, n'est jamais arrivée : aucun débordement de soins intensifs, de lits d'hôpitaux, des urgences – sauf pour l'affluence des consultations. Est-ce que c'est la vaccination ou le peu de virulence de la grippe A(H1N1) qui explique que nous ayons passé plus de six mois en « phase 6[86] » d'une pandémie, sans plus de morts que lors d'une saison de grippe ordinaire ? Avons-nous vraiment vécu une pandémie de ce niveau de gravité ? Le plus important est cependant le corollaire à ce devoir d'action en temps de crise, le devoir de *bilan* : comprendre ce qui s'est réellement passé durant cette crise ; évaluer les actions et accepter les leçons qui s'imposent.

---

86. Niveau le plus élevé d'alerte décrété par l'OMS.

Post mortem

Au moins 200 millions de dollars. C'est ce que nous aurons dépensé au Québec pour « vaincre » la grippe A(H1N1) en 2009-2010. Beaucoup d'argent, mais nous pouvons crier victoire. Peu de morts, pas de débordement dans les hôpitaux, des urgences qui s'en sortent assez bien.

Alors bravo, la crise A(H1N1) s'est passée sans trop de casse. Mieux que d'habitude en fait. Une machine efficace, mise en place par le msss, les agences et les hôpitaux, a permis de prendre les mesures qu'il fallait et de réussir une campagne de vaccination ayant fait du Québec l'un des endroits les mieux vaccinés au monde – 57 % de la population à terme. On m'a d'ailleurs raconté l'atmosphère surréaliste de ces longues files d'attente sur le parterre du stade olympique, où se sont fait vacciner comme sur une chaîne de montage un nombre record de citoyens. De rares débordements, dont celui d'un chanteur jugeant sa famille plus importante que celle du citoyen moyen, mais dans l'ensemble, un excellent exercice.

Dans les hôpitaux et dans tout le réseau de la santé, on s'agitait diablement pour les préparatifs, après un premier cas québécois signalé le 30 avril 2009. À Montréal, des conférences téléphoniques d'une heure se tenaient quotidiennement, regroupant les représentants de chacun des innombrables établissements de l'île : bilans, décomptes, problèmes, solutions, comptes-rendus, ça y allait à fond. Jusqu'à 60 personnes sur la ligne en même temps, chacun racontant sa petite histoire : « Moi je manque de masques » ; « Nous on a peut-être eu un cas » ; « Où peut-on commander des gants » ; « Tout est calme chez nous »; « Ça serait pour commander une pizza. Oh, pardon. » Etc.

C'était parfois intéressant, mais écouter tous ces responsables inquiets partageant tour à tour leurs problèmes en souhaitant faire bonne impression sur les dirigeants de l'agence, ça faisait long. Dans chaque hôpital, trois, cinq ou dix personnes étaient suspendues à ces interminables récits. On peut se demander si c'était la seule manière d'agir. Le MSSS semble d'ailleurs convenir que ces conférences « ont été jugées laborieuses et répétitives[87] ». Je dois dire qu'on avait un peu l'impression de tourner à vide, parce que durant toute cette période, des cas de grippe, il n'y en avait à peu près pas ! Comme monter au front, mais sans trouver l'ennemi. Aussi, après avoir dépensé tant d'énergie en réunions, l'automne est tranquillement arrivé alors que nous avions tout rangé... et que les cas ont commencé à se pointer aux urgences. Il fallait tout redémarrer.

Et allez, les protocoles d'isolation, les cultures, les avis, les traitements, les références : la machine est repartie et, je dois l'admettre, a plutôt bien fonctionné. La crise A(H1N1) a d'ailleurs été fort utile pour apprendre à appliquer rigoureusement les directives de dépistage aux patients grippés, mettre en œuvre leur éventuel isolement et travailler avec les vêtements de protection. Nous avons même appris une technique révolutionnaire pour tousser : alors que de mémoire humaine on s'est toujours envoyé les germes dans les mains, chacun les dirige maintenant dans le creux de son coude. C'est très efficace, paraît-il.

---

87. MSSS, « La gouvernance du réseau de la santé et des services sociaux en temps de pandémie d'influenza A(H1N1) en 2009 au Québec », *loc. cit.*, p. 33.

Entre avril 2009 et janvier 2010, 13 557 cas de grippe A(H1N1) ont été confirmés, menant à 108 décès, ce qui est beaucoup *moins* que la mortalité attribuable à la grippe saisonnière. Il est vrai que des groupes inhabituels, les plus jeunes et les femmes enceintes, étaient proportionnellement plus atteints. Les plus optimistes pensent que le plan de préparation et d'action a bien fonctionné, limitant la propagation du virus et la gravité de la maladie; qu'un taux de vaccination élevé a protégé la population; que les médicaments antiviraux ont été judicieusement utilisés; que les mesures de protection ont permis d'isoler les malades et que les nombreuses réunions ont facilité la coordination des tâches. C'est peut-être en partie vrai. De plus, comme d'habitude en cas de « crise », les impressions qui s'en sont dégagées étaient généralement positives : « Réaliser collectivement un même projet semble avoir été très stimulant, particulièrement dans les centres de santé et de services sociaux (csss). Plusieurs répondants font l'éloge du travail d'équipe, favorisé par une présence continue sur les lieux de travail, l'entraide et la collégialité manifestées au sein des équipes comme avec la hiérarchie[88]. » C'était comme durant la crise du verglas, dont je garde d'ailleurs un excellent souvenir.

Tant mieux si les mesures mises en place dans les hôpitaux sont enfin entrées dans les mœurs. Mais on peut sûrement mettre en doute l'efficacité réelle de la campagne de vaccination massive : dans certains pays, comme la France, un taux de vaccination resté infime (moins de 10 %) ne semble avoir fait aucune différence, ni sur le taux de propagation, ni sur les complications, ni sur les hospitalisations. Et rien sur la mor-

---

88. *Ibid.*, p. 4.

talité. En d'autres termes, les pays peu vaccinés s'en sont aussi bien sortis que nous.

Le virus tellement craint n'était donc pas aussi malin qu'on l'avait crû? On plaide qu'on ne pouvait pas le savoir et que le principe de précaution nous *obligeait* à agir. Je concède qu'il s'agissait de décisions prises à chaud. Et je ne peux le nier: j'étais moi-même en faveur de la vaccination pour nous protéger contre une « vague » de patients atteints simultanément. Mais d'autres, plus critiques, s'appuyant sur les données de l'hémisphère sud où le vaccin avait circulé quelques mois plus tôt, avaient insisté sur la faible gravité de la maladie et une propagation modérée. Ils nous avaient aussi prévenus de l'inutilité d'investir de telles fortunes en vaccins et en antiviraux.

Les antiviraux, d'ailleurs, c'était un peu de la frime: leur efficacité en cas de grippe « ordinaire » est déjà mitigée, raccourcissant un peu la durée de la maladie, prévenant vaguement la contagion, mais n'ayant pas d'effet démontré sur la mortalité. Encore une fois, le « principe de précaution » nous a poussés à stocker des quantités faramineuses d'antiviraux, qui ont peu servi. Point positif: les fournisseurs ont fait de bonnes affaires. Certains ont posé des questions et continuent de le faire. Avec raison, car elles sont pertinentes.

Le niveau d'alerte 6, niveau maximal, a été déclenché par l'OMS le 11 juin 2009. Il officialisait la reconnaissance de la pandémie dans 74 pays. Cette annonce était-elle exagérée? On sait qu'elle a poussé les pays membres à intensifier leur plan de mesures d'urgence: qui pouvait remettre en cause des décisions appuyées par les plus hautes instances sanitaires de la planète? Une suite d'actions rapides et d'ampleur inégalée s'en sont suivies, actions qui ont conditionné notre comportement et notre compréhension de la « crise ».

Les médecins qui ont remis en cause la pertinence réelle du vaccin, la précipitation des gestes ou l'ampleur de la réponse se sont fait rabrouer. Au Québec, le secrétaire du Collège des médecins n'a pas mâché ses mots:

> Nous sommes toujours préoccupés par les sorties publiques de médecins qui pourraient ne pas se conformer aux données de la science. Une des obligations déontologiques des médecins est d'exercer selon les principes scientifiques. Ça me préoccupe personnellement dans la mesure où tous les médecins n'ont pas la même formation et la même compétence dans le domaine de l'immunisation et de l'influenza. Le message que j'aurais à leur transmettre est le suivant: quand vous ne connaissez pas ces deux domaines, fermez-la[89]!

Mais il faut distinguer les « antivaccins » viscéraux, et leurs discours fondés sur des préjugés, des réserves articulées émises par des médecins souvent compétents en la matière. Lorsqu'on se fie, justement, aux meilleures sources scientifiques[90], on constate que le consensus scientifique invoqué par les autorités n'est pas si clair, que la méthodologie des études appuyant la vaccination de masse pour la grippe « habituelle » n'est pas si solide qu'on le prétend et que l'efficacité des médicaments antiviraux pour réduire la mortalité est sujette à débat. Il faut donc conserver une certaine distance critique, même en situation de crise.

Surtout quand, après tout ce tumulte, on apprend que deux scientifiques liés financièrement aux pharmaceutiques produi-

---

89. Denis Méthot, « La vaccination contre la grippe A(H1N1) et le Code de déontologie », *L'Actualité médicale*, 18 novembre 2009.

90. La collaboration Cochrane, par exemple, autorité d'un niveau très élevé en médecine (www.cochrane.org).

sant les vaccins ont directement conseillé l'OMS sur le niveau d'alerte et sur les mesures à prendre. Il est permis d'exiger des comptes plus serrés : comment ces décisions ont-elles été prises ? Ont-elles pu être l'objet d'influences douteuses ? Entre la lubie des objecteurs de conscience professionnels, qui dénonçaient des risques improbables liés aux vaccins, et l'aveuglement volontaire, il y a une place pour la circonspection.

Le principe de précaution ne peut pas *tout* justifier, d'autant que nos ressources ne sont pas illimitées. Dépenser 200 millions de dollars dans une campagne médicale pour sauver beaucoup de vies, pour améliorer le fonctionnement du réseau et pour implanter des mesures de précaution universelles, cela vaut la peine. Mais il n'y a pas eu plus de morts dans les pays avec un très faible taux de vaccination ; alors à postériori, on réalise que cette dernière n'a pas servi à grand-chose et que l'argent a été dépensé inutilement. Ce qui veut dire, quand même, que les réserves exprimées étaient peut-être bien fondées. Certes, il est toujours facile de critiquer à rebours. N'empêche que plusieurs pays ne nous ont pas suivis dans notre précipitation et que leur population ne s'en porte pas plus mal. À l'avenir, ne cédons pas à la panique, documentons mieux nos décisions, assurons-nous que les organisations qui recommandent des actions aussi coûteuses sont libres de tout conflit d'intérêts, écoutons davantage les voix dissidentes et obligeons-nous à évaluer l'impact réel de nos décisions. C'est un niveau d'exigence qui m'apparaît simplement raisonnable.

Trouvez le médecin[*]

Le 5 janvier 2012, une lectrice écrit au journal *Le Devoir*: « Le vendredi 30 décembre, j'ai besoin de voir un médecin après trois semaines de maux de gorge, maux de tête, toux et deux jours de fièvre.» En effet, bonne idée de consulter un médecin. Mais elle n'y arriva pas. Son aventure est par contre riche d'enseignement.

Examinons ce « cas», en prenant garde de ne pas poser de diagnostic *in abstentia*. D'abord, les symptômes: d'autres problèmes de santé peuvent les causer, mais le plus probable, c'est qu'il s'agit d'un simple virus respiratoire. Un diagnostic plus grave comme une pneumonie, par exemple, paraît peu probable. Une infirmière d'Info-Santé aurait pu clarifier la situation et offrir les conseils appropriés, mais on ne sait pas si la dame a contacté ce service fort utile. Première question d'importance : quelles connaissances les gens ordinaires doivent-ils maîtriser afin de prendre en charge leurs problèmes quotidiens de santé? Devrait-on aborder davantage les questions de santé à l'école secondaire?

Notre lectrice poursuit : «Après un appel téléphonique, je finis par comprendre sur la boîte vocale qu'on peut se présenter à la clinique entre 7 h 30 et 8 h 30 pour s'enregistrer, car les heures d'ouverture sont de 10 h à 12 h 30 et de 13 h 30 à 15 h!» La solution qui lui semblait la plus simple, une visite à la clinique, allait s'avérer plus complexe que prévu. La difficulté

---

[*]   Une première version de ce texte a été publiée sur le site Professionsante.ca en janvier 2012.

d'accès au médecin est en effet un problème réel au Québec : les patients rencontrent de temps en temps leur médecin quand tout va bien, pour des bilans ou des dépistages, dont la pertinence peut faire l'objet d'un débat, mais s'ils souffrent d'une affection aiguë, ils verront paradoxalement un médecin qu'ils ne connaissent pas. Notons tout de même que les Canadiens rencontrent un médecin 5,5 fois par année, davantage qu'en Finlande (4,2) ou en Suisse (4,0) et surtout en Suède (2,9), où un ticket modérateur « modère » justement les consultations, mais moins souvent qu'en France (6,9) et en Allemagne (8,0). La moyenne, dans les pays de l'OCDE, est de 6,5 fois par année[91].

Poursuivons avec notre histoire : « Je [me rends à la clinique], d'ajouter la lectrice, et quelle ne fut pas ma surprise de voir, par un froid de -24 degrés, 23 personnes dehors en file, certaines attendant déjà depuis 1 heure et pour encore 45 minutes, car la clinique n'ouvre qu'à 8 h 45, me dit-on. De toute façon, je ne pourrai obtenir un rendez-vous, car on en donne 20 ! »

Mais comment expliquer ces problèmes d'accès et cette difficulté à avoir un médecin de famille, quand le ratio de médecins au Québec est supérieur de 11 % à celui de la moyenne canadienne[92] ? Nos médecins de première ligne travailleraient-ils moins qu'ailleurs ? « Jamais de la vie ! » répond-on : ils travaillent autant ou davantage que leurs confrères canadiens. On soutient plutôt qu'ils ne sont pas à la bonne place : ils seraient coincés à l'hôpital. La difficulté d'avoir accès à un médecin de

91. Données de l'OCDE, 2011.

92. Des données remontant à 2006 indiquent 109 médecins pour 100 000 de population au Québec, contre 98 au Canada, alors qu'à la même période, 25,1 % des Québécois n'avaient pas de médecin de famille contre 14,4 % au Canada. Des chiffres surprenants ! www.cfp.ca/content/53/11/1871/T1.expansion.html

famille tiendrait au manque d'organisation des services, aux pénuries hospitalières en spécialistes et aux programmes d'«activités médicales particulières» (AMP), qui forcent les plus jeunes à un «excès» de pratique hospitalière. Du moins, c'est ce que la Fédération des médecins omnipraticiens du Québec (FMOQ) répond aux critiques.

Pourtant, il y a 20 ans, c'était l'inverse : on peinait alors à trouver des médecins omnipraticiens pour couvrir l'hospitalisation, les soins intensifs et l'urgence dans les hôpitaux communautaires – des pratiques lourdes et intenses où les revenus ne se comparaient pas avec ceux des cliniques sans rendez-vous. Depuis 20 ans, le «système» aurait tellement bien ramené les médecins à l'hôpital qu'ils délaisseraient la première ligne...

Curieux tout de même : si les hôpitaux séquestrent les médecins, pourquoi la situation des urgences ne s'améliore-t-elle pas ? Quand je vois des patients végéter sur des civières dans certains hôpitaux de région, ne pouvant pas accéder aux unités de soins parce qu'aucun médecin omnipraticien ne veut les prendre en charge à l'étage, je me demande : pourquoi la machine hospitalière fonctionne-t-elle mal si les médecins y passent vraiment trop de temps ? Bien entendu, dans beaucoup de ces hôpitaux où les urgences ont de la difficulté à fonctionner, il *manque aussi* des médecins pour faire de l'hospitalisation. Néanmoins, dans l'ensemble, il y a au Québec plus de médecins omnipraticiens qu'ailleurs au Canada. Je ne vois pas comment expliquer ce paradoxe[93].

---

93. Le Canada se situe déjà au troisième rang des pays de l'OCDE quant au pourcentage de médecins omnipraticiens, avec 47,4 %, devancé seulement par la France avec 49 % et l'Australie avec 49,8 %. En comparaison, on ne retrouve que 12,3 % de médecins généralistes aux États-Unis et 29,8 % au Royaume-Uni. Et en nombre absolu, nous sommes au cinquième rang mondial ! Autre paradoxe...

Les médecins omnipraticiens passant plus d'heures à l'hôpital chez nous, on imagine que c'est parce qu'ils prennent plus de responsabilités dans les soins hospitaliers. On peut donc se demander en retour où sont nos médecins spécialistes ! Peut-être ont-ils délaissé l'hospitalisation pour se concentrer sur les soins en clinique externe ou dans leur cabinet ? Peut-être se consacrent-ils davantage à des soins de première ligne, où à priori ils ne devraient pas se retrouver ? Va-t-on découvrir que les spécialistes font de la première ligne justement pour pallier au manque de médecins généralistes qui, eux, seraient confinés à l'hôpital ?

À vrai dire, cela ne me surprend qu'à moitié : nos pédiatres suivent des enfants en bonne santé, nos gynécologues font des accouchements normaux et des dépistages de base comme le test Pap, nos orthopédistes s'occupent de maux de dos et des évaluations de la Commission de la santé et de la sécurité du travail (CSST), nos dermatologues traitent l'acné non compliquée. Cela pose la question de la pertinence et de l'utilisation des ressources médicales, mais aussi celle de la *hiérarchisation* des soins : qui devrait soigner quel patient ? Est-ce que nous nous assurons que tel professionnel est le mieux placé pour offrir tel niveau de soins ? Peut-être notre système a-t-il des ratés parce que nous négligeons depuis trop longtemps d'examiner cela ? Peut-être notre dame aurait-elle eu un rendez-vous le lendemain avec son médecin si on n'avait pas laissé ces dérives s'installer ?

On pourrait également imaginer des infirmières praticiennes de première ligne, formées et disponibles, offrant une alternative pour régler ce problème d'accès. Ces professionnelles sont d'ailleurs largement déployées ailleurs au Canada et aux

États-Unis, mais pratiquement absentes chez nous, notamment en raison d'une résistance médicale historique. Et cela touche également d'autres professions. Le Canada est le pays de l'OCDE comptant le moins de sages-femmes : 4,5 seulement pour 100 000 femmes, contre 60,3 en France et une moyenne de 69,8 pour l'OCDE [94].

Mais revenons à notre pauvre patiente, qui gèle devant une clinique, dans l'attente de se faire évaluer pendant des « heures ouvrables », de fort peu d'ouverture d'ailleurs, par un médecin inconnu mais qui pourrait au moins la rassurer sur son état. Son espoir sera déçu : 20 patients seulement auront droit ce jour-là à une évaluation. Et le CLSC, porte d'entrée du réseau, est encore moins ouvrable puisqu'il est fermé – ce qui n'est pas inhabituel pour une porte.

Notre patiente observe ensuite avec justesse : « Et les médecins qui nous disent de ne pas aller à l'urgence des hôpitaux pour une grippe... » C'est en effet un dilemme : on déplore souvent que des « petits cas » se retrouvent à l'urgence. Mais puisque tous les chemins, dans notre grand réseau centré sur l'hôpital, mènent justement à l'urgence, on ne devrait pas se surprendre que les gens s'y rendent régulièrement, plus que partout au Canada. Parce que, s'il n'y a pas d'autre accès aux soins, l'urgence, elle, demeure ouverte : c'est donc une solution, pas un problème. Mais notre lectrice fait un autre choix : puisque personne n'est disponible et qu'il « ne faut pas » aller à l'urgence, c'est simple, se dit-elle : « Je suis allée chez le pharmacien qui, après une consultation privée, m'a donné ce qu'il me fallait ; six jours plus tard, je me porte mieux. » Malheureusement,

94. www.oecd.org/dataoecd/6/27/49105873.pdf

elle ne précise pas la solution apportée par le pharmacien. Mais, comme par magie, quelques jours plus tard, tout va pour le mieux.

Ceux qui ont un mauvais virus devraient pouvoir consulter à la pharmacie. Cette « solution » existe déjà. Utiliser davantage la pharmacie comme point d'accès au réseau de la santé, est-ce une solution à notre problème d'accès aux soins de santé? Peut-être. Mais je dois vous avouer qu'un doute me saisit, pas très politiquement correct d'ailleurs. Pour vous l'expliquer, aventurons-nous au-delà du médicalement raisonnable pour tâcher de comprendre ce qui a bien pu se passer à la pharmacie. J'émets des hypothèses, encore une fois.

D'abord, *aucune* maladie grave n'affectait vraisemblablement cette patiente : ni pneumonie, ni asthme important, ni maladie infectieuse plus sévère qu'un simple virus. Je base cette audacieuse conclusion sur le fait que tout est rentré dans l'ordre quelques jours plus tard, sans tests ni antibiotiques[95]. Comment le sais-je? Parce que le contraire est fort improbable, les pharmaciens ne pouvant ni pratiquer de tests ni donner d'antibiotiques sans prescription.

Notre pharmacien a sans doute simplement... rassuré la patiente. Ce n'est pas rien, nous négligeons cela trop souvent. Peut-être lui a-t-il ensuite suggéré un traitement quelconque, « ce qu'il fallait ». Mais on ne se contera pas d'histoire : notre patiente avait fort probablement un simple virus et aurait vu

---

95. Rappelons qu'un médecin ne peut exprimer de diagnostic sans avoir examiné son patient. Ma conclusion découle donc de l'information contenue dans la lettre et ne constitue qu'une hypothèse. Je ne voudrais quand même pas manquer à la déontologie!

son état s'améliorer de lui-même dans les jours suivants, peu importe le « traitement » proposé.

C'est là que j'ai un problème. Je ne connais aucun traitement qui « guérisse » un simple rhume. Or, une pharmacie, en plus de jouer un rôle essentiel dans la dispensation des médicaments et de conseils thérapeutiques souvent très utiles, c'est également rempli à ras bord de ce qu'on pourrait appeler justement des « non-solutions », ces traitements sans aucune efficacité réelle démontrable. Des murs de placebos, de formats et de couleurs divers et de prix très variés : suppléments vitaminiques, produits naturels ou homéopathiques, ou myriades de sirops – j'en passe et des meilleurs, tous des produits qui ne servent à peu près à rien[96]. Comprenez que je n'ai philosophiquement rien contre les placebos : si on y croit, ça marche ; c'est notre propre capacité de guérir qui opère ! Mais peut-on baser une relation thérapeutique sur de la fausse représentation ? Je n'ai pas employé l'expression « conflit d'intérêts », mais je ne sais pas comment appeler cela autrement : conseiller et vendre des produits sans effet réel reconnu et faire un profit raisonnable là-dessus, cela suscite chez moi quelques réserves.

Mais notre lectrice de conclure : « Que vienne le jour où le pharmacien pourra prescrire les médicaments et prendre la carte-soleil, comme l'infirmière d'ailleurs. »

Ce récit exemplaire doit nous faire réfléchir : manque d'accès à la première ligne médicale, aux infirmières de première ligne, aux soins d'urgence ambulatoires ; manque de connaissances en matière de santé et peut-être même un certain manque de

---

96. Mis à part le zinc, dont il est démontré depuis peu qu'il est un agent d'une certaine efficacité pour diminuer la durée des symptômes du rhume.

rigueur des pharmaciens quand on détaille tout ce qui se vend sur les étalages. Des « non-solutions » souvent appliquées à des « non-problèmes » que l'on prétend avoir réglés. Quant aux vraies solutions, nous y reviendrons.

Opting out

Improvisation mixte sans patient*

I maginons un instant que vous êtes médecin. Un matin, deux patients identiques, consultant pour le même problème, se retrouvent assis côte à côte dans votre salle d'attente. Le premier a rouspété pendant trois heures, puis s'est endormi; le second, arrivé peu après, ne se plaint pas: il sort son portefeuille et vous sourit.

Se pose alors à vous un cas de conscience: sachant que la clinique a besoin d'argent pour repeindre le mur fleuri de l'entrée, qui allez-vous soigner en premier? La réponse paraît évidente: celui qui attend depuis plus longtemps, voyons! Vous éprouveriez sans doute un vague malaise à privilégier celui qui

---

* Le 14 mai 2010, le Collège des médecins du Québec tient son assemblée annuelle, durant laquelle prend place un colloque portant sur la mixité de la pratique médicale et intitulé: «Les choix des médecins répondent-ils aux besoins des patients?» Plusieurs invités, dont je suis, interviennent sur la question, avant de participer à un panel. Ce texte, d'abord publié dans une version préliminaire sur le site Professionsante.ca, découle de mon intervention et résume les problèmes importants qui surviendraient si on autorisait les médecins à œuvrer à la fois dans le public et le privé, une idée phare de certaines personnalités politiques, notamment de l'ex-chef de la défunte Action démocratique du Québec (ADQ), Mario Dumont, reprise sous forme de «projet pilote» par la Coalition Avenir Québec (CAQ) de François Legault.

sort ses billets. La situation, vous semble-t-il, serait moins délicate si les deux patients n'étaient pas assis ensemble. Une idée vous vient alors : il suffit de les éloigner l'un de l'autre. Pourquoi ne pas inviter le second patient, si affable, à se rendre dans votre clinique « privée-privée » en face ? S'il s'y rend sans faire de bruit, il est probable que le bougon ne se réveillera pas ! Fin de l'exercice.

La situation décrite est évidemment farfelue. Vraiment ? Pas du tout ! C'est une question des plus brûlantes dans le petit univers de la santé. Elle ne se pose pas dans ces termes, mais c'est tout comme : doit-on autoriser ou non la mixité de la pratique dans notre régime public de soins ? C'est exactement la même question. Voyons pourquoi.

La loi québécoise sur la santé oblige depuis 40 ans les médecins à choisir : ou bien ils adhèrent à la RAMQ et sont payés comme « médecins-participants », ou bien ils quittent le régime public et deviennent des « non-participants » ; ils sont alors directement payés par les patients. Notons que ce « ou bien » est mutuellement exclusif : le médecin ne peut se trouver des deux côtés de la clôture en même temps. Au Québec, la *mixité de la pratique* médicale est interdite, sauf pour une exception, d'ailleurs riche d'enseignement, la radiologie, dont nous discuterons plus loin.

Cette interdiction concerne uniquement les soins « médicalement requis », soit les soins jugés utiles au maintien de la santé et classifiés comme tels : ils sont donc couverts par le régime public d'assurance maladie administré par la RAMQ et ne peuvent en conséquence être remboursés par une assurance privée dite « duplicative », par le fait même interdite.

Un très petit nombre de médecins optent pour le « privé-privé ». Un tel choix, reconnaissons-le, demande une dose de courage, car il comporte sa part de risque – minime il est vrai puisque le médecin peut revenir au régime public en cas d'échec. Pour survivre, le médecin entrepreneur doit se trouver un créneau particulier et le faire fructifier. Notons que le champion de la pratique privée, tel le Dr Nicolas Duval, premier orthopédiste à œuvrer uniquement dans le privé, a déjà pris publiquement position contre la mixité : dans une allocution au colloque du Collège des médecins en 2010, il affirmait que les médecins devaient choisir et que la mixité ne devrait pas être une option.

Certains proposent d'accepter la mixité, mais en la balisant par des « quotas » : X heures dans le public ouvriraient la porte à Y heures dans le privé. Outre la complexité et les coûts administratifs d'un tel système, il ne changerait rien au problème du risque de transfert important d'activités médicales du public vers le privé : comme 98,9 % des médecins pratiquent dans le régime public, la moindre ouverture vers le privé aurait pour effet de modifier la dynamique du système de santé. Imaginez par exemple que les médecins choisissent d'y consacrer ne serait-ce que 5 % de leur temps, nous triplerions ou quadruplerions la pratique privée. Le risque de dérapage est évident. Par ailleurs, les médecins étant humains, rien ne dit qu'ils voudraient travailler plus fort qu'ils ne le font déjà. Cela signifierait que chaque heure transférée aux cliniques à but lucratif serait perdue pour la santé publique, un désastre pour un grand nombre de patients qui perdraient leur accès à un médecin !

D'autres louangent le concept de mixité en donnant l'exemple de pays étrangers. Il est souhaitable de porter sa vue au loin pour s'améliorer, mais il faut rester prudent : il est hasardeux de transposer isolément une caractéristique d'un système de santé étranger. Le vrai défi est d'anticiper l'effet réel de tout changement apporté à notre propre système. L'exemple de la France est certes riche d'enseignements, et on y réfère souvent, mais le contexte global de ce pays est foncièrement différent du nôtre, en raison notamment du nombre beaucoup plus élevé de médecins, mais aussi parce qu'on y opère actuellement une transition vers le privé dont plusieurs dénoncent les effets délétères sur l'accès aux soins.

On remarque en effet, depuis plusieurs années, des difficultés réelles de coordination entre les réseaux publics et privés. Le Dr Jackie Ahr, secrétaire général adjoint du Conseil national de l'ordre des médecins de France, avait présenté en 2010 à Montréal un tableau inquiétant de la mixité, insistant sur les problèmes de cohérence et de communication entre les deux pôles – ce qui aboutissait à un « fossé » impossible à combler.

Au Québec, où l'accès à un médecin est déjà problématique, le transfert des activités médicales vers le privé aurait un impact néfaste sur l'accessibilité. Il ne faut jamais oublier que la prestation privée abandonne au public les soins plus lourds, les problèmes graves et chroniques, les cancers, les maladies psychiatriques, les maladies dégénératives – mais aussi les complications, comme on le verra plus loin. Les médecins œuvrant des deux côtés de la clôture affectent de ne vouloir renoncer ni à l'un ni à l'autre. Mais ils iront de préférence du côté où le soleil de l'argent brille davantage.

Cette augmentation de la mixité nuirait aussi à la cohérence du réseau. Comme il est déjà difficile d'assurer le continuum de soins dans le réseau public, on imagine sans peine ses effets. Alors que le suivi des patients lourds est ardu et que les soins à domicile sont sous-financés, notre système souffrirait beaucoup d'un tel transfert d'activités. Il faut le marteler : le temps n'est pas à la fragmentation du réseau.

Enfin, et ce n'est pas le moindre des arguments, la mixité risquerait d'enlever toute incitation à bonifier le système de santé public : car si les médecins ont cette porte de sortie, pourquoi s'épuiseraient-ils à l'améliorer ?

Il ne s'agit pas de nier les problèmes, il s'agit de ne pas choisir de mauvaises solutions. Le maintien des médecins dans le régime public permet non seulement de s'assurer que les fonds et les soins vont en priorité là où sont les *besoins*, et non les *moyens*, mais il les incite aussi à ne pas se désintéresser du projet de la santé publique. La mixité n'est pas une solution, mais une source de nouveaux problèmes. Or, des problèmes, nous en avons déjà suffisamment à régler.

FLUX MÉDICAL ET REFLUX SOCIAL

CERTAINS REVIREMENTS sont décevants. Par exemple, celui de médecins qui, après avoir défendu avec ardeur le système de santé public, trimé dur pour y offrir de meilleurs soins et s'être battus pour l'améliorer, virent capot et s'en vont travailler dans le privé.

Ainsi, mon confrère B. a abandonné son urgence montréalaise du Centre-Sud, pour se « repositionner » dans le privé à Mont-Royal, grand bond en avant et surtout vers le haut pour conquérir avec deux autres collègues un marché presque vierge. Mais pas pour l'argent, dit-il. Plutôt pour proposer à la population des soins de qualité. Sa clinique offre pour 100 dollars[97] des soins « urgents » à la multitude qui, c'est connu, peine à attraper le vol quotidien de 13 heures pour New York – je sais, il y a *aussi* des gens de la classe moyenne qui consulteront cette clinique.

Pourtant, le Dr B. avait déjà écrit dans *Le Devoir* que « l'assistance médicale à personne en danger devrait être la priorité du système de santé canadien ». Il avait ajouté que le Québec avait « besoin d'un mandataire dévoué à l'excellence de ses institutions et capable de sauvegarder les bases du système de santé hospitalier et son excellence ». Comment expliquer ce virage de la part d'un médecin qui a jadis dénoncé sans relâche les problèmes du réseau et, surtout, qui a cherché à les régler ? Peut-être l'effet d'avoir travaillé dur dans une des urgences les plus difficiles de Montréal a-t-il engendré chez lui une lassitude plus forte que sa volonté d'améliorer le système ?

---

97. Selon les informations disponibles en 2004.

Ses deux comparses étaient de la même veine : forts en gueule, cumulant des décennies de médecine d'urgence, présents partout, ayant publié des tas de rapports, dépensé leur temps sans compter et atteint des objectifs louables. Le Dr H. a largement contribué à transformer son milieu, notamment en combattant sans relâche la congestion et en concevant les plans d'une des plus belles urgences du Québec. Le Dr C. a été sur tous les fronts. Il a poussé le zèle jusqu'à devenir membre du conseil d'administration de l'Association des médecins d'urgence du Québec. Leur contribution fut solide : ils ont su parler, débattre et agir utilement.

Quelle ne fut pas ma déception de les voir annoncer fièrement leur nouveau produit qui soigne plus blanc. C'était pour moi une démission, un constat d'échec, une fuite en avant. Trois médecins qui se retirent des soins essentiels, ceux donnés à l'urgence, c'est une perte nette.

Leur clinique privée soignant ceux qui ont de l'argent et envoyant les malades trop compliqués à l'urgence aidera-t-elle vraiment notre système de santé, comme ils le prétendent ? Contribuera-t-elle à diminuer les coûts, rendre le réseau plus efficace ou accroître l'accessibilité ? À mon avis, au contraire. Cela dit, leur sens du marketing est évident : la localisation de leur clinique est parfaite, entre Outremont et Mont-Royal, tout près d'un McDonald (l'expert absolu du positionnement). Sans compter l'emballement médiatique suscité par la controverse de leur démission, qui s'est conclu par un passage remarqué au *Point*. Impressionnant.

Il est vrai que cette clinique aurait été peu viable dans le Centre-Sud : la plupart des anciens patients du Dr B. n'auraient pu partager avec lui un peu de leur détresse contre des dollars sonnants. Mais il faut croire que désormais, l'assistance à personne en danger et la sauvegarde du système de santé, valeurs qu'il chérissait, céderont leur place à l'assistance à personne fortunée et la sauvegarde de l'actionnariat. C'est de valeur, comme on dit.

Le dur chemin de Lacroix

*Marc Lacroix critique sévèrement le système de santé, principalement
en ce qui a trait aux conditions de pratique des médecins généralistes.
S'il y a pénurie d'omnipraticiens, c'est que les futurs médecins
s'en désintéressent au profit des différentes spécialisations. « Quand ils
terminent leur médecine familiale, les jeunes médecins finissants sont
contraints de commencer leur pratique en région, de façon coercitive.
Les gens sont obligés de s'exiler », regrette-t-il. Il déplore aussi le mode de
rémunération à l'acte. « Cela fait en sorte que le médecin, étant donné que
l'acte est très mal rémunéré [environ 30 dollars par consultation au sans
rendez-vous] et qu'il a des frais fixes importants, doit faire du volume. »
Il a déjà vu des confrères carburer au rythme de 10 et même 12 consultations par heure. « On ne peut pas faire une médecine complète, préventive et
globale avec des rendez-vous de cinq minutes ! » soulève le Dr Lacroix.*

Pierre-Olivier Fortin, *Le Soleil*, 27 juillet 2010.

En empruntant le pont Pierre-Laporte pour retourner à
Montréal, vêtu d'un magnifique t-shirt arborant le logo
de la clinique privée du médecin entrepreneur Marc Lacroix,
j'étais inquiet. C'est que durant notre débat à l'auditorium du
campus Laval, j'avais eu l'impression d'entendre un mélange
des discours simplistes de la droite agissante, des slogans de feu
l'ADQ, des lancées libertariennes de Maxime Bernier et des
contre-vérités d'Éric Duhaime. Des concepts provocateurs,
mais sonnant creux, des phrases lancées pour l'effet, mais sans
résonance réelle. N'est-ce pas ce qu'on appelle du marketing[98] ?

---

98. Notez que j'aime bien le Dr Marc Lacroix, que je n'ai rencontré
qu'une fois, à l'occasion d'un débat cordial à la faculté de médecine de l'Université Laval. Je ne discute ici que ses idées, véhiculées largement dans les
médias. Je le prends pour exemple tout simplement parce que c'est un de ceux

Après avoir accepté de participer à cet événement, organisé pour les étudiants de deuxième année de médecine et filmé par l'équipe de Claire Lamarche, j'appréhendais l'émission : qu'allait-on tirer des propos tenus ? Une heure de télévision sur le privé, même avec un regard critique et des extraits de débat, cela transmettrait quel message, quels aspects du personnage de Marc Lacroix ressortiraient, quel angle du sujet ? Je l'ignorais. Tout cela pourrait prendre des airs d'infopub.

Le Dr Marc Lacroix, médecin depuis l'an 2000, se voyait entrepreneur dès son jeune âge, profession légitime et vieille comme le monde. C'est ce qu'il est devenu, et avec succès, ayant été nommé jeune entrepreneur de l'année en 2010. Sa force ? Flairer « les opportunités d'affaires, mais pas juste d'un point de vue pécuniaire ». La publicité fait d'ailleurs largement partie de son plan d'affaires, comme il se doit. Il s'agirait maintenant de « frapper avec des pleines pages » et non des entrefilets. Cette apparition à Télé-Québec, dans le cadre de cette série de bonne tenue sur le système de santé, n'était-elle pas une belle occasion de mousser ses affaires ?

Notez bien, Marc Lacroix n'a pas tout faux. Durant le débat, je rejoignais son analyse sur quelques points : l'État doit effectivement améliorer le réseau de la santé ; les « super-infirmières » sont encore trop peu utilisées, entre autres en première ligne ; l'écart de revenu entre spécialistes et omnipraticiens est trop élevé ; le manque d'organisation de la première ligne compromet l'accès au médecin quand on en a besoin. De vrais problèmes affectant le réseau public, auxquels il faut apporter des

---

qui semblent avoir le mieux « réussi » ce triste « virage commercial » de la médecine.

réponses, mais les bonnes. C'est ici que la fracture était évidente : les solutions de Marc Lacroix reposaient essentiellement sur le postulat suivant : « l'avenir se trouve hors réseau ». Quel avenir ? Celui du médecin ? Celui des patients ? Celui du système de santé ou celui du bien commun ?

Pourquoi certains médecins quittent-ils le régime public pour aller travailler dans ces cliniques ? Claire Lamarche nous a offert dans l'émission la réponse d'un médecin de l'équipe du Dr Lacroix : « J'avais vraiment l'impression d'avoir tout donné au système. » Elle était vidée, sentiment souvent rencontré chez des médecins ayant choisi de « changer de bord ». Mais certains doutes la travaillaient toujours : « J'ai le côté éthique à garder en tête. » Elle précise sur le site web de la clinique, dans un message destiné à sa « distinguée clientèle » : « Désormais, mon temps et mon énergie ne seront plus gaspillés à tenter de changer les choses dans un réseau trop lourd et à combattre les embûches administratives, mais bien à faire ce que j'aime le plus et qui m'a toujours passionnée : prendre le temps de prodiguer à mes patients les soins de qualité que leur santé requiert. »

Je comprends qu'on puisse trop s'investir, avoir l'impression de tourner en rond et de s'épuiser par manque de résultats, mais j'aurais eu envie de lui poser la question suivante : si les médecins se désinvestissent du réseau de soins publics, comment pourront-ils l'améliorer ? Comment sa démission pouvait-elle conduire aux changements souhaités ?

Au fond, chez Marc Lacroix, l'entrepreneur passe avant le médecin. L'idée implicite de son discours est claire : le problème central du médecin dans notre réseau public est la rémunération ou, plus précisément, le taux horaire ; l'entrepreneur souhaite un salaire « honnête et adéquat », c'est-à-dire plus élevé pour un travail plus facile. C'est donc une question de productivité, un concept tout à fait pertinent pour un entrepreneur. La « qualité de vie » entre aussi dans l'équation, mais elle n'est que l'autre nom de ce désir de productivité pécuniaire accrue : meilleur rythme de travail, horaires plus acceptables, moins de stress, probablement plus d'heures de loisirs et de vacances. C'est humain. Mais la pratique de la médecine est-elle compatible avec des horaires réguliers, stables et « de jour la semaine » ?

Combien coûte au patient la meilleure qualité de vie de son médecin désengagé ? Si j'ai bien compris, 200 dollars la visite sans rendez-vous et un abonnement annuel « standard » de 1 200 dollars pour trois consultations. Encore mieux, choisissez une formule VIP avec consultations, formulaires médicaux et procédures illimitées, mais c'est plus cher ! C'est complexe, puisqu'il y a des rabais et des forfaits divers qu'on présente sur le site web de la clinique : services à la carte, formule privilège, 2.0, signature, VIP, duo, famille, enfant et sans oublier la fameuse formule corporative ! Et aussi des économies d'échelle : « Avec tout achat de plus de deux formules, la troisième formule aura droit à un rabais de 100 dollars ; pour la quatrième formule et plus, rabais applicable de 150 dollars par formule supplémentaire. Les rabais sont non transférables et non monnayables[99]. »

Trop commercial à votre goût ? Alors ne lisez pas la section des promotions :

> Bilan de santé complet à seulement 495 dollars ! Pour un adulte homme ou femme, incluant : frais d'ouverture de dossier, deux consultations médicales complètes avec le médecin, la première d'une durée de 1 heure, la seconde d'une durée de 30 minutes,

---

99. http://cliniquemedicalelacroix.com/dr-lacroix/equipe-lac-beauport

renouvellement de prescription lorsqu'indiqué, ordonnances pour tout examen complémentaire jugé nécessaire par le médecin, à savoir prises de sang complètes, colonoscopie, mammographie dépistage, tapis roulant ou autre, rappel par adjointe médicale pour résultats de laboratoires et analyses complémentaires sans frais supplémentaires. Seulement 495 dollars pour un temps limité! Nos salles d'attente sont les plus confortables en ville. Dommage que vous ayez si peu de temps pour les apprécier.

Non, il ne s'agit pas de forfaits pour un club de golf.

Mais la vraie question, celle qui compte, celle à laquelle il vaut la peine de réfléchir, c'est l'animatrice qui la posera vers la fin de l'émission en remettant les pendules à l'heure : « Un médecin qui passe au privé [est] un médecin perdu pour le système public [...], qu'adviendra-t-il de ceux qui n'auront d'autres options qu'un système affaibli par l'exode des ressources ? »

C'est cette question que je vais maintenant explorer. Notre devoir est d'analyser en profondeur ce fameux « modèle Lacroix », parce que son promoteur commet parfois, sans doute par inadvertance, quelques sophismes en cherchant à convaincre du succès complet de son aventure.

Il ne faut pas croire que l'enthousiasme qu'il éprouve face au « succès » de son entreprise soit gage de la validité de son modèle. Le médecin veut soigner 500 personnes, prêtes à débourser chacune 1 200 dollars par an[100], ce qui n'a rien d'un gros défi : une frange de la population suffisamment en moyens peut sans peine s'offrir ce luxe, qui dépasse la capacité de payer d'une bonne partie des gens. Il faut savoir que 500 patients, c'est

---

100. Ces chiffres étaient disponibles à l'époque. Ils ont pu varier. Je ne les ai pas retrouvés sur le site web de la clinique.

peu pour un médecin de famille, qui en suit souvent de 1 000 à 1 500. Pourquoi 500 ? Tout simplement parce que le médecin souhaite limiter son offre de soins, ce qui lui permettra « d'avoir assez de temps à leur consacrer ». Très généreux de sa part.

Le Dr Lacroix explique son succès par le fait qu'au Québec, « on n'est pas capable de trouver un médecin de famille et qu'on ne peut avoir accès aux services dans des délais raisonnables ». Ce qui, évidemment, n'est pas tout à fait faux : on sait que c'est difficile. Mais sa croisade permettra-t-elle d'améliorer l'accès aux services et de diminuer ces délais ?

Une bonne façon de voir si tout cela tient la route, c'est de l'étendre par hypothèse à l'ensemble du système. C'est d'ailleurs le médecin lui-même qui suggère l'idée sur son site web : « Le réseau des cliniques médicales Lacroix est par ailleurs le premier réseau interactif de cliniques privées au Québec, un modèle qui sera étendu à l'échelle provinciale au cours des prochaines années. » Ce qui marche bien à l'échelle locale devrait performer à plus grande échelle, surtout si on prévoit une expansion d'ampleur. Mais je ne sais pas si notre ami réalise que pour appliquer son modèle à une population de 8 millions de personnes, il lui faudrait près de 16 000 médecins omnipraticiens ! Or, c'est le double de l'ensemble des médecins de famille actuellement disponibles au Québec. Un modèle qui ne peut se généraliser n'est qu'une illusion.

Accusant ensuite la tarification à l'acte et ses faibles tarifs qui encouragent le « volume », il ne remarque pas que ses propres tarifs et son « volume » sont encore moins réalistes : petit volume, gros tarifs. Prônant cette « médecine complète, préventive et globale » qu'il ne retrouve plus dans le système public, il ne voit pas l'évidence : l'élargissement graduel de son « système » conduirait à réserver une part plus importante de médecins pour «soigner» des gens qui, capables de payer un tel abonnement, sont aussi généralement en meilleure santé, plus actifs et plus jeunes. Bref, ceux dont les besoins sont les plus simples et les plus limités en santé, et non pas les plus malades et les plus vieux, affectés de maladies chroniques ou débilitantes, ceux qui ne pourraient se payer cette belle médecine personnalisée et devraient se contenter d'encore moins de médecine publique.

Du point de vue strictement monétaire, le modèle est certes alléchant pour le médecin : l'abonnement annuel mentionné correspond à un revenu annuel de 600 000 dollars par médecin pour 500 patients, moins les frais de bureau. Si on généralise au Québec, on aboutit à un coût de l'ordre de 9,6 milliards de dollars, seulement pour les soins de première ligne, soit près de 2 fois la masse totale versée à l'ensemble des médecins du Québec. On comprend l'enthousiasme du médecin entrepreneur ! Surtout quand on sait qu'un «non-membre» pourrait obtenir un rendez-vous rapide pour la modique somme de 200 dollars, 5 fois le tarif donné par notre chiche gouvernement.

Ayant une bonne pensée pour le réseau public, ce médecin désengagé, facturant déjà des sommes rondelettes pour s'occuper d'un petit nombre de patients en assez bonne santé, consentirait à œuvrer dans le réseau public «en temps supplémentaire». Cela s'appelle la mixité, sujet déjà abordé. La mixité, vraiment ? Pour un médecin, c'est le meilleur des deux mondes : un peu de public, un peu de privé, selon la demande et les besoins. Le service public de santé devient le garant de la santé financière de l'entrepreneur privé.

Le «modèle Lacroix», si séduisant qu'il paraisse, n'est à mon humble avis qu'un mirage qui s'évanouit dès qu'on tente d'en

appliquer les concepts à plus large échelle : il y perd toute pertinence et toute crédibilité.

Infirmières de niveau minimal de qualité*

COMME ON SAIT, il n'y a plus d'hôpitaux au Québec. Disparus, envolés! Remplacés par les Centres de santé et de services sociaux. Le legs principal du bon Dr Phlippe Couillard. Nom de code: CSSS. L'hôpital Anna-Laberge de Châteauguay, sur la Rive-Sud de Montréal, fait maintenant partie d'un CSSS joliment appelé «Jardins-Roussillon» – ne me demandez pas d'où vient ce nom.

En ces lieux où se conjuguent «l'aspect pratique de la vie urbaine et le charme des grands espaces», on ouvrait récemment les enveloppes des soumissionnaires à un appel d'offres, démarche administrative bien ordinaire – quoique fondamentale à notre époque où foisonnent les contrats douteux. Il s'agissait, comme c'est la règle, de choisir un fournisseur selon «le prix le plus bas» et un «niveau minimal de qualité», pour un contrat de 500 000 à 5 000 000 de dollars. Au fait, que voulait-on acheter? Des appareils chirurgicaux, des distributeurs de nourriture, un système de chauffage au gaz? Non: des infirmières! Plus précisément, des soins infirmiers. Quelques millions de dollars de soins infirmiers.

Soyons sérieux, s'agissant de commerce: c'était pour un contrat de trois ans, plus une année d'option, afin de fournir du personnel «trié sur le volet», répondant «aux critères de qualité, de sécurité, de continuité et aux normes de l'organisation». Le fournisseur devait se «distinguer de la compétition

---

* Une première version de ce texte a été publiée en avril 2010 sur le site Professionsante.ca.

par la qualité des candidats offerts ». Pas question d'engager des infirmières bas de gamme aux Jardins-Roussillon ! Il devait aussi « démontrer que ses employés [avaient] la formation et l'expertise nécessaires » et assurer un « service après-vente », en français s'il vous plaît ! Et en ces temps de négociation difficile[101], le CSSS souhaitait aussi, pur hasard, que le fournisseur « ne prévoit pas de conflit de travail impliquant ses salariés ».

Dans ce modèle, l'infirmière n'était plus une employée de l'établissement, mais bien celle du fournisseur, ce qui simplifie bien des choses : l'établissement pouvait « affecter ou réaffecter, à son gré, l'employé de l'adjudicataire [le fournisseur] dans l'ensemble de ses installations ». Et c'était dorénavant au fournisseur et non à l'établissement de s'assurer « que les employés [...] ont reçu une formation adéquate, sont compétents, expérimentés [...], sont accrédités par les différents organismes compétents [...] et n'ont pas de dossier criminel ». Dans la même veine, « l'orientation des employés [était] entièrement sous la responsabilité et aux frais » du fournisseur et non de l'hôpital. C'était le fournisseur qui demeurait le « seul et unique responsable des employés ».

Un paranoïaque aurait pu croire que l'établissement souhaitait simplement sous-traiter la gestion de ses ressources humaines en dehors de tout contexte syndical, mais il serait facile de lui répondre qu'on n'arrête pas le progrès. On s'était bien gardé une petite gêne : interdiction d'engager du personnel de l'hôpital ou l'ayant été dans les derniers deux ans. Par contre, pour les retraités, c'était bar ouvert : le fournisseur pouvait « affecter une

---

101. Cet appel d'offres avait été lancé en 2010 durant des négociations plutôt ardues avec les infirmières.

ressource étant à la retraite». Compte tenu du nombre de retraites annoncées, aucune crainte à avoir quant à la capacité des fournisseurs de trouver de la main-d'œuvre expérimentée.

On oubliait malheureusement d'indiquer comment seraient livrées ces infirmières : par camion, en boîtes, empaquetées individuellement ou en vrac, assemblées ou pas ? Et y avait-il des choix de couleur, d'uniforme ou de sexe ? Allait-on pouvoir tester la marchandise pendant sept jours, comme c'est la règle ? Ou au moins appliquer une épreuve standardisée de conformité de matériel : trois prises de sang réussies, deux piqûres pas trop douloureuses et un pansement étanche, le tout avec le sourire et un déhanchement réussi ? Et la garantie prolongée, c'était compris ou non dans le prix ? Et les primes : 1 infirmière auxiliaire pour l'achat de 10 infirmières, 1 urgentologue pour 30 ?

Certes, pour les infirmières, une agence privée, c'est un peu le bonheur : bonne paye, peu de contraintes, horaires souples, vacances à la demande, etc. Mais tout ça n'est qu'une illusion. Les agences ne prodiguent encore qu'une part congrue de l'ensemble des soins, l'intendance et les contraintes étant assumées par le personnel courant ; elles comblent un vide, mais il est évidemment impensable de reconstruire ne serait-ce qu'une partie du fonctionnement du réseau sur cette base.

Si on peut trouver un semblant de vertu à cet appel d'offres, c'est qu'il a peut-être sonné la fin de la récréation : d'ententes de gré à gré avec ces agences privées, on passait à un contexte compétitif où les fournisseurs devaient dorénavant se battre pour offrir le «prix le plus bas» et un «niveau minimal de qualité». Pas rassurant pour les patients, mais pour les infirmières non plus : où les agences rogneraient-elles, sinon dans les salaires et les conditions de travail ?

Révolution dans la gestion hospitalière, ce type de sous-traitance des soins infirmiers pourrait mener à la perte de continuité, à l'incohérence des équipes et à la dissolution du sentiment d'appartenance. C'est le patient qui en souffrirait le plus. Mais heureusement, après un tollé de protestations, il s'est trouvé quelques bornés qui ont refusé d'adopter ces modes de gestion modernes. L'appel d'offres a donc prestement été retiré. Exit la vente à rabais de soins infirmiers. Ils sont peut-être en solde chez Winners.

Nous sommes ensemble

Mon cher G.,

Évidemment, c'est ton affaire, ta décision, ta vie. Mais je t'écris quand même. Et je vais d'abord te vanter : tu es un bon médecin, qui aime ses patients par-dessus tout, qui se démène vraiment pour eux, qui s'en soucie. J'en connais des moins sensibles, d'autres qui oublient tout à la fin de leur journée de bureau ou des satisfaits qui ne se posent jamais de questions. Parfois, ça pose problème, le sens de l'engagement s'éteint, la solidarité paresse, nos choix s'éloignent du bien commun. Pas très engagés, plutôt conservateurs, nos confrères n'aiment pas trop le militantisme ni d'ailleurs les médecins trop militants – je le sais par expérience et toi aussi sans doute ! Ils ne montent pas aux barricades et se concentrent sur leur pratique, leur centre de conditionnement physique, leur chalet et leur voiture sport. Ceux qui ont la fibre s'engagent plutôt du côté professionnel ou des entreprises – l'argent ! –, mais rarement du côté social – sauf des exceptions comme Amir !

Tu en as peut-être marre de t'être trop donné, d'avoir passé trop de soirées à régler des problèmes, de nuits à t'inquiéter, trop de fins de semaine de garde.

Mais de là à aller dans le privé... je ne te reconnais plus. Alors ça me travaille. Parce que je te respecte. Je ne veux pas juste en rester là, me faire croire que ce n'est rien, « respecter » ta décision.

Je sais bien, peu importe où tu pratiqueras, tu seras toujours à l'écoute de tes patients, tu te dévoueras pour eux, tu retourneras leurs appels, tu feras le nécessaire pour renvoyer la prescription oubliée, tu te sentiras coupable de ne pas être plus disponible. Tu seras aimé de tes patients, ça ne changera pas. Mais quelque chose de subtil changera – subtil, mais fondamental : tes patients ne seront plus les mêmes. Je ne peux pas croire que tu ne t'en rendras pas compte.

Alors voilà : ta décision ne colle pas avec ce que je connais de toi. Tes mots n'ont pas de sens. C'est décalé, bizarre, comme si tu jouais un rôle de composition… Tu te souviens, au collège, ce rôle qui ne te ressemblait pas ? C'était quoi… dans *Oncle Vania* ! Tu jouais le vieux. Ton père avait dit que ce n'était pas pour toi, il te voyait en jeune premier.

J'écoute en ce moment *Évangéline*, chantée par Marie-Jo Thério devant un Claude Léveillée muet d'émotion, les yeux embués. Ça me fait quelque chose, ton histoire, depuis tout à l'heure, et je viens de comprendre pourquoi en écoutant la chanson : c'est le sentiment d'une trahison, d'un arrachement, quelque chose d'intime et d'injuste, contre quoi il est impossible de protester. Mais qui désole. Une douleur muette, une colère sourde.

Tout n'est pas facile pour toi. Et tu trouvais ça lourd, l'hospitalisation, ça ne répondait plus à ce que tu voulais faire, beaucoup de stress, trop de temps perdu, des projets qui n'allaient nulle part, par manque d'argent ou de volonté. Mais en même temps, ce monde-là, où nous avons travaillé ensemble, où nous avons tout fait, c'est le monde réel. C'est le seul qui compte ! Celui des gens ordinaires, de ceux qui peinent pour s'en sortir, des maganés, pour qui une main posée sur l'épaule ramène une lueur dans les yeux. Les malades, les vrais, les nôtres, les tiens ! La vraie vie, quand la mort n'est pas loin. Rien n'est parfait, c'est vrai.

C'est notre monde, le même que celui des patients de Jacques Ferron à Ville Jacques-Cartier. Nous parlions souvent de lui, tu voulais écrire… Ce médecin écrivain qui a consacré sa vie à ses pauvres et à son œuvre, même s'il devait écrire la nuit après des journées épuisantes au bureau, dit-on. Savais-tu qu'à sa mort, j'avais appelé à son bureau : son frère médecin avait remplacé le message d'accueil et remerciait les gens pour leurs condoléances. Et à la fin du message, après un temps… surgissait la voix lente et maniérée de l'écrivain, qui ajoutait comme avec un brin d'ironie : « … et il vous remercie » !

J'aime mieux un système de santé imparfait, mais juste, qu'un système plus parfait pour certains et moins pour d'autres. C'est une conviction, que nos collègues ne partagent pas tellement, même s'ils font exprès de refuser d'en voir les avantages. Un système de santé imparfait, mais humain, où on bénéficie de soins beaucoup plus facilement et mieux que dans la plupart des pays que tu as visités, où on ne vit pas l'horreur de mourir stupidement par manque de *cash*, où les gens ne perdent plus leur maison parce qu'ils ont deux pierres dans la vésicule biliaire.

Et si je te disais que ton approche humaniste de la médecine est semblable à l'humanisme – disons collectif – de notre système de santé : une attention portée à la détresse de ceux que nous aimons, qui nous entourent, nos voisins, nos amis, nos frères, nos femmes, nos filles. De l'altruisme, un reste de solidarité humaine.

Je lisais durant mes vacances le beau livre de Bernard Émond *Il y a trop d'images*. Je ne sais pas si tu as vu *La donation*. J'aime tout ce qu'il a fait, mais c'est son film le plus solide. L'histoire troublante d'une femme médecin en désarroi, qui hésite à s'installer dans le petit village de Normétal, loin en Abitibi, le coin de pays d'où tu viens. Elle rencontre là-bas un médecin plus vieux, qui veut lui céder sa pratique, à qui elle posera une question sur la croyance. Il lui répond ça : « Moi, je crois à une chose. Je crois qu'il faut servir. » Avec derrière lui et en lui sa vie de médecin, passée à « servir » dans un village minier, avec cet attachement profond pour les gens, avec cette idée du dévouement… Il a mis au monde plus de la moitié des habitants et les a presque tous soignés.

Au fait, Émond m'a demandé de l'aider pour son dernier scénario, une belle histoire basée sur une nouvelle de Tchekhov où on trouve un professeur de médecine malade. Il voulait que je regarde ce personnage et sa maladie. Tu ne le croiras pas, mais savais-tu qu'il lit tous les jours la revue *Road and Track* ? Il connaît toutes les marques de chars : le nombre de chevaux du moteur, le modèle du carburateur, le nombre de soupapes… Tout ! Ce cinéaste n'a pas fini de m'étonner !

Son médecin de Normétal me rappelle beaucoup le père de ma mère, le Dr Hector Gaboury, médecin de village à Plantagenet, en Ontario. Son jeune frère, imagine, était mort le soir de la remise de son diplôme de médecine, renversé par un train. Il a donc lui-même choisi de faire son cours à McGill à la fin de la trentaine et, après avoir reçu des offres de carrière universitaire, il a préféré retourner pratiquer dans son village. Il a été médecin là-bas jusqu'à sa mort à 85 ans, au milieu des années 1960. J'avais quatre ans. Il n'a jamais connu l'assurance maladie, il trimait dur sans être certain d'en retirer un revenu décent. Attelant ses chevaux l'hiver, il parcourait la région dans sa carriole pour soigner et percevoir ses honoraires. Il était souvent payé en nature – œufs, poules, victuailles –, parfois en argent. Ça l'ennuyait, mais il fallait bien vivre : il arrivait à subsister correctement et à bien éduquer ses enfants, mais sans luxe. Savais-tu en passant qu'il a inventé une motoneige avec un garagiste un an ou deux avant Bombardier ? Je te montrerai la photo.

Peut-être que, n'ayant pas connu autre chose que notre système de santé public, nous finissons par n'en voir que les défauts. Des problèmes réels, parfois frustrants, mais qui ne sont pas grand-chose en comparaison de ceux que mon grand-père a connus. Les délais, l'attente aux urgences, les difficultés pour « avoir » un médecin de famille ou une chirurgie, c'est sûr que ce n'est pas toujours drôle. Mais ça n'a rien à voir avec le passé. Au moins les gens se font soigner et, quand c'est urgent, ils sont vus rapidement. Bref, ils sont traités comme des humains, avec respect et empathie. Comme tu les traites chaque jour.

Je te l'ai dit, notre système de santé public te ressemble : pas parfait, loin de là, mais généreux. Un peu lent par moment, mais ouvert aux critiques. Est-ce que tu te vois vraiment dans une clinique chromée ? Ce mouvement vers le privé, c'est vraiment une régression, une régression tranquille qui passe presque inaperçue, à mon grand désarroi. Tout ça n'a rien d'une renaissance, d'une bouffée d'air frais, comme certains se l'imaginent stupidement. En 1970, les médecins n'étaient pas très favorables à l'assurance maladie. Vit-on aujourd'hui le ressac de cette absurde réticence du passé ? Je ne sais pas. C'est peut-être juste de l'amnésie. On nous prépare à ça depuis tellement longtemps, avec la complicité des médias, qui décrivent en long et en large la nécessité d'aller « au privé » pour obtenir rapidement des soins. C'est une foutue illusion qui m'enrage. On fait abstraction du contexte, on parle de l'efficacité du privé comme d'un fait, alors que c'est un mirage. Et tu veux *vraiment* embarquer là-dedans ?

Tu me l'as dit encore hier soir, tu appelles ça « tourner la page ». Ouah! C'est quasiment romantique ton affaire. Ça me rappelle mon *abandon* de la médecine en troisième année. Je me croyais, vraiment. Mais je ne vois pas pourquoi ça irait mieux pour toi, sinon que tu vas faire un peu plus d'argent en travaillant un peu moins fort. *So what*, criss? Et sais-tu quoi? Je pense à tes patients. J'en connais, je les ai croisés à ton bureau : combien ne pourront juste ne pas te suivre, devront frapper à une autre porte, quelle porte d'ailleurs? Dans le contexte actuel, les abandonner, c'est quoi? Inhumain! Voilà!

Tu as déjà vécu pire et trouvé des solutions, non? Alors fais aller ton imagination. Change ta façon de faire si tu es fatigué, trouve d'autres partenaires, moins gossants, je sais pas, moi! Mais est-ce qu'il faut vraiment que tu abandonnes? Bon, je me calme, c'est à toi d'y penser. Ma lettre n'y changera rien, mais malgré mon inconfort à t'écrire, je ne pouvais pas faire autrement. Tant pis si ça jette un froid entre nous. Je l'ai fait pour toi et pour tes patients, pour ce métier aussi, que nous avons appris ensemble et que nous aimons tellement.

Notre responsabilité, la mienne, la tienne, celle de tout médecin, c'est de s'engager. Ça sonne un peu creux, c'est peut-être ça le problème? Prends-le à l'envers : s'il ne s'agit pas de s'engager, il faut seulement *ne pas* se désengager. Se désengager, ça serait nier ce que nous avons été, ce que nous sommes, ça serait croire que nous sommes complètement responsables de notre sort, que nous pouvons maintenant tourner le dos aux autres. Refuse de te désengager, pour que ton métier garde un sens, pour tes patients, pour tes enfants. Pour ton chien!

Refuse pour qui tu veux, je m'en fous. Tiens : refuse pour Mohammad, dont je t'ai montré la photo la semaine dernière. Lui, il aurait refusé. Parce qu'il faut servir.

Parce que nous sommes ensemble...

Terrain privé : on ne passe pas !

À diagnostic erroné, traitement nocif

En août 2008 se tenait Montréal le congrès annuel de l'Association médicale canadienne (AMC), dont le président prônait ouvertement un accroissement de la place du privé dans le régime de santé, malgré des voix divergentes. Ce texte est la réponse d'un large groupe de médecins à ces positions[102].

MÉDECINS EN FAVEUR d'un solide régime de santé public, nous déclarons notre appui fondamental au maintien et à l'amélioration d'un système de santé accessible à tous, sans distinction de moyens, par la voie d'un financement et d'une prestation de soins essentiellement publics.

Les orientations de l'actuel gouvernement vers une plus grande ouverture au privé à but lucratif nous inquiètent

---

102. Médecins signataires de la lettre publiée dans le journal *Le Devoir* : Alain Vadeboncoeur, Réjean Hébert, Maurice McGregor, Jean-Lucien Rouleau, Nicolas Bergeron, Pierre Poulin, Gilles Paradis, Raymond Lalande, Martin Juneau, Marie-Dominique Beaulieu, Louise Authier, Georges Lévesque, Vania Jimenez, Serge Dubé, Pierre Biron, Marc Isler, Martin Plaisance, Paul Lévesque, Antoine Boivin, Jane McCusker, Julien Poitras, Catherine Kissel, François Lamontagne, Nathalie Langlois, Raynald Pineault, Prometheas Constantinides, Pierre Auger, Paul Saba, Marie-Dominique Debroux, Simon Dufour, Simon Turcotte, Saïdeh Khadir, Marie-Michelle Bellon et Danielle Martin. Lettre adaptée pour la présente publication. Position de MQRP.

profondément. Dans le domaine de la santé, les outils de redistribution de la richesse relèvent en effet d'un impératif humaniste incontournable. Mais un discours troublant, largement répercuté par les médias, se fait pourtant de plus en plus insistant : il faudrait rapidement s'ouvrir à l'assurance privée et augmenter la prestation privée, sous peine de voir notre système de santé péricliter.

Ce discours trouve un terrain particulièrement fertile au Québec, qui pourrait devenir un champ d'expérimentation « idéal » pour la régression du régime de santé public. Mais nous en contestons fermement les fondements et sommes déterminés à en contrer les effets.

Cette volonté de privatisation repose d'abord sur un *diagnostic* : la croissance budgétaire du système de santé serait hors de contrôle, non viable et elle menacerait l'équilibre budgétaire de l'État ; puis sur un *traitement* : l'élargissement de la part du privé constituerait la meilleure solution. Mais les études et expériences internationales réalisées sur le sujet nous obligent à manifester notre désaccord. Notre constat est clair et sans appel : *à diagnostic erroné, traitement nocif.*

Les coûts du système de soins sont en croissance, mais pas hors de contrôle. Tout dépend de ce que l'on veut faire dire aux chiffres. En réalité, le coût des dépenses publiques en santé est stable par rapport au PIB depuis les années 1970. Quant à l'impact du vieillissement, l'expérience des pays dotés d'un système public où la pyramide des âges est inversée montre que l'introduction progressive de soins adaptés à la population vieillissante est aisément absorbée par l'économie. Il est assez ironique de constater que la plus forte augmentation des coûts dépend davantage de ses constituants privés, entre autres les médicaments, que du vieillissement de la population, alors que la proportion des dépenses médicales et hospitalières diminue.

Mais le traitement proposé prête encore plus le flanc à la critique. C'est qu'au Canada, 30 % des soins de santé sont *déjà* financés par des sources privées. Est-ce insuffisant ? Mais quelle est la « juste part » du financement privé, alors que nous lui accordons une place parfois comparable, mais plus souvent supérieure à ce qu'elle est dans les autres pays de l'OCDE, contrairement à des préjugés largement véhiculés ?

S'agissant là d'un solide « marché » de plusieurs milliards de dollars, les assureurs observent avec un intérêt compréhensible l'ouverture naissante d'un recours à l'assurance privée pour payer certains soins médicaux et hospitaliers, ouverture décidée dans la foulée du jugement Chaoulli, qui ne l'exigeait pourtant pas forcément. Certes, on peut déjà payer soi-même pour accéder plus rapidement à des soins dans le privé, avenue toutefois limitée par un coût qui restreint la demande, mais ouvrir par la voie étatique les vannes du financement privé est un projet d'une tout autre ampleur : des joueurs aux vastes ressources auront les moyens requis pour y occuper irréversiblement un terrain de plus en plus large.

Sans surprise, l'offre de soins privés ne cesse de croître, consolidant du même coup sa légitimité, ce dont témoigne la multiplication des ententes entre hôpitaux et entreprises à but lucratif. On veut nous rassurer en soulignant qu'il s'agit d'un financement public demeurant sous le contrôle de l'État, mais *pourquoi* conclure de tels contrats quand les listes d'attente sont essentiellement causées par le manque de personnel, que la sous-traitance conduit généralement à une hausse des dépenses en santé, que la qualité des soins s'en trouve souvent altérée, que les projets-pilotes réalisés au Québec n'ont pas été concluants et qu'il n'existe aucune preuve de leur efficacité pour réduire l'attente?

Pourquoi? Il faut dorénavant répondre à cette question. Ce double glissement vers le privé, à la fois dans le financement et la prestation, ne nous apparaît pas innocent: lancé par l'adoption de la loi 33 du ministre Philippe Couillard, qui ouvre la porte à la création de la chirurgie à large échelle en clinique privée, il s'est trouvé raffermi par les recommandations du récent rapport Castonguay, qui propose que les agences régionales de santé deviennent des acheteurs de soins dans un marché où seraient mis en compétition les fournisseurs publics et privés.

L'expérience de la Grande-Bretagne a pourtant montré que l'acheteur de services oublie rapidement, derrière les colonnes de chiffres et le calcul des flux de patients, la dimension clinique de l'exercice alors que les médecins sont évalués selon leur «rentabilité», préoccupation éloignée de celle de la qualité des soins.

Ne s'agit-il pas là de mesures structurantes, dont la finalité serait de rendre viable un système de soins parallèle échappant à la gestion publique? Situation classique, où une infrastructure développée et financée à grands frais par le génie public aboutirait dans le giron d'entreprises qui choisiraient d'en faire fructifier les secteurs les plus rentables. Ce système parallèle, de mieux en mieux pourvu et financé, pourrait éventuellement convenir avec le plus offrant de dispenser directement les soins les plus lucratifs, sans nécessairement passer par l'État. Pas demain ni dans un an, mais pourquoi pas dans cinq ou dix ans, après que des restrictions progressives imposées au système public en auront peut-être compromis suffisamment l'accès?

En douceur, aboutirait-on au système à deux vitesses souhaité par plusieurs, où les mieux nantis auraient accès plus rapidement aux soins au détriment de patients plus « coûteux » (malades chroniques, atteints du cancer ou de troubles psychiatriques, etc.) ou qui ne peuvent simplement pas payer les assurances requises ? Triste perspective.

Mais accroître la part du privé à but lucratif ne permettrait-il pas, comme certains l'affirment, de diminuer les listes d'attente, de régler les problèmes de continuité de soins, d'augmenter par émulation la productivité de notre système public et d'alléger la supposée « lourdeur administrative » publique ?

La réponse est claire : *pas du tout*. Les expériences étrangères montrent que ce « traitement » douteux introduit justement de nouvelles lourdeurs administratives, ajoute des barrières supplémentaires à l'accès aux soins et rend plus difficile le contrôle des coûts. Et que loin de favoriser l'intégration souhaitable des services, ce nouveau mode d'organisation risque au contraire d'accroître la fragmentation du continuum de soins, déjà problématique.

Enfin, on ne peut oublier le contexte de transformation des relations internationales : si les pays membres de l'Union européenne découvrent de plus en plus que les services publics doivent céder face aux règles du marché unique européen, on ne pourra pas davantage faire abstraction chez nous des règles du commerce de l'ALENA et de l'OMC ou d'un éventuel accord de libre-échange avec l'Europe.

Le discours ambiant est donc miné, au mieux, par un manque de rigueur et, au pire, par une tentative de manipulation de l'opinion publique. Nous réclamons de nos collègues de la profession médicale un vrai débat sur ces questions, afin de mettre en lumière les enjeux des choix privés et publics proposés.

Il faut le répéter : il existe des *solutions publiques* efficaces, innovatrices et viables aux problèmes du système de santé et elles sont souvent appliquées. Des exemples ? Les travaux conjoints de la FMSQ et du MSSS montrant que l'on peut effectuer au Québec 50 000 chirurgies de plus annuellement moyennant des changements simples, applicables et publics ; les travaux du Dr Yves Bolduc, qui a réussi, comme gestionnaire, à transformer dans plusieurs établissements l'organisation des soins de manière à en améliorer l'accès.

Médecins, nous agirons avec toute notre conviction en faveur du maintien d'un solide régime de santé public, afin d'éviter une altération irréversible des valeurs qui doivent invariablement nous guider : la compassion, l'équité et la justice.

On s'est vraiment fait biaiser[*]

L E CONSENSUS contre le mode PPP (ou *la* mode PPP) est chaque jour plus clair dans le dossier du CHUM, mais le gouvernement fait comme si de rien n'était. Tout le monde se trompe : ceux qui soignent (médecins, infirmières, les autres professionnels et employés), les architectes, les économistes, les constructeurs, les ingénieurs, les éditorialistes du *Devoir* et de la *Gazette*, même ceux de *La Presse* ! Et l'opposition officielle : le Parti québécois. Tout ce monde-là, à en croire le gouvernement libéral, s'inquiète pour rien et c'est pur entêtement de leur part d'exiger que le mode traditionnel soit utilisé pour la construction du CHUM.

Qui est pour ? Le gouvernement et l'Agence des PPP (avec son PDG nommé par le gouvernement). C'est tout. Deux possibilités : ou bien tout le monde se trompe, ou bien le gouvernement se trompe. Or, si le gouvernement gère la société au nom de la collectivité, mais qu'il agit dans une direction opposée à celle souhaitée *par* tout le monde, cela ne peut signifier qu'une chose : qu'il a la conviction de savoir mieux que tout le monde… ce qui est bon pour tout le monde.

Pourtant, le rapport du vérificateur général du Québec[103], portant un jugement critique sur le choix du mode PPP pour nos CHU, devrait inquiéter l'opinion publique. Ce texte est d'une précision chirurgicale : pas un mot de trop, pas une phrase floue, d'une exactitude que n'aurait pas reniée Stendhal,

---

[*] Une première version de ce texte est parue sous forme de lettre dans *La Presse* le 13 mars 2009.

103. Publié à l'automne 2009.

dont le livre de chevet était le Code civil. Ce rapport pose une question d'importance pour quiconque tient à une saine gestion des finances publiques : peut-on vraiment prendre une des décisions les plus coûteuses de l'histoire du système de santé sur la base d'études biaisées ?

Il semble que oui. Le mode PPP demeure le choix du gouvernement, malgré tout le mal qu'en dit ce rapport. La démonstration rigoureuse du vérificateur est pourtant implacable : le choix des PPP est fort peu « éclairé » et, selon toute apparence, décidé d'avance. Aucune autre explication possible. En recherche, on appellerait ça un biais méthodologique majeur ou de la malhonnêteté intellectuelle. Ou pire : un conflit d'intérêts. En politique ? Trouvez le qualificatif, il en pleut. C'est dire qu'on aurait pu éviter le cirque de l'Agence des PPP, qui depuis des années y va de ses « sparages », encensés par de savants commentateurs économiques ou attaqués par ses détracteurs, dont j'ai été, avec MQRP et la coalition CHU sans PPP. À deux reprises, des positions franchement opposées au mode PPP ont été prises publiquement par les présidents des trois fédérations médicales et une multitude d'organisations.

L'enjeu, ne l'oublions pas, est de taille. Au Québec, nous n'avons aucune expérience dans le domaine des PPP en santé. Le CHUM est tout de même un des plus gros projets hospitaliers de l'histoire ! Nous avons par contre une vaste expertise dans la conception et la réalisation de projets d'envergure, contribuant pour la moitié aux exportations canadiennes dans certains domaines ; la construction des grands barrages est un exemple classique. Et de nouveaux projets majeurs ont été inaugurés au Centre hospitalier Sainte-Justine, conçus et construits en mode public, sans dépassement des budgets ou des échéances. Pourquoi tourner le dos à toute cette expertise ?

Expertise qui sera irrémédiablement perdue si nous ne restons pas maîtres d'œuvre de nos grands projets. Il s'ensuivra une perte grave et irréversible de savoir-faire touchant la conception, la gestion et la construction de mégaprojets en santé. Où en serions-nous collectivement, si nos gouvernements avaient omis jadis de mettre à contribution les forces vives de la société québécoise pour réaliser les projets hydroélectriques, amputant la Révolution tranquille de certaines de ses plus remarquables réussites? Et dans l'hypothèse (absurde bien entendu!) où le mode PPP se casse un jour la gueule et que le public doive ramasser les pots cassés, comme ce fut le cas pour le plus gros PPP de l'histoire (le métro de Londres), qui saura y faire pour reprendre le tout? C'est que le choix du PPP est irréversible à long terme: même si en réalité le gouvernement ne transfère que peu de risque au privé (qui peut faire faillite, contrairement à l'État), il renonce à son profit d'une partie de son savoir, ou de notre intelligence collective!

Malgré tous ces vices, la stratégie contestable de mise en marché de l'Agence des PPP a porté ses fruits. Le concept est passé comme dans du beurre malgré un mandat partial, comme l'avait souligné dès 2006 le président du Comité des politiques publiques de l'Association des économistes du Québec, M. Jean-Pierre Aubry. L'Agence des PPP, juge et partie dans l'affaire, a effectivement réussi sa mission: nous vendre les PPP. Peu importe la manière ou les coûts. Comme pour une nouvelle gomme à mâcher ou une voiture sport, elle a vanté les mérites de sa camelote sans retenue, sans esprit critique, sans se soucier outre mesure de ce détail qu'on appelle la réalité.

Le choix des PPP pour les CHU repose sur l'acceptation à priori d'hypothèses farfelues. La moitié de l'«avantage» des

PPP s'explique par un seul paramètre, portant sur un aspect technique : le taux d'actualisation, un paramètre comptable un peu compliqué qui a une grande influence sur les coûts anticipés. Il y a ensuite cette hypothèse – proprement absurde et dénoncée par tout le monde – d'un indice de vétusté physique de 94 % après 30 ans si l'entretien et le renouvellement sont confiés au secteur public. Ce qui nous laisserait un jour avec un tas de briques pas propres alors que le taux habituel de dégradation des hôpitaux publics est de moins de 20 % pour une telle période. C'est d'autant plus surprenant qu'on soutient, sans s'esclaffer, qu'un hôpital géré par le privé va rester aussi bien conservé que la momie de Toutankhamon. L'autre moitié de l'avantage réside dans cette aberration de calcul. Mais si vous remplacez ces deux hypothèses par des paramètres un peu plus raisonnables, vous annulez l'avantage du mode PPP !

Aucune analyse externe indépendante n'a validé celles de l'Agence des PPP. N'ajustez pas votre stéthoscope : on dépensera plus de 5 milliards de dollars en santé sans avoir validé la méthodologie d'évaluation du projet. Simple oubli sans doute, mais il s'agit pourtant d'une norme de base en France et en Grande-Bretagne. Oh ! pardon, il y a une sorte de « vérification indépendante ». M. Pierre Lefebvre, ex-président de l'Agence, l'a expliqué : « Le directeur exécutif [du projet du CHUM] devait porter un jugement indépendant et il le portait en acceptant l'analyse […]. Mon seul message, c'est que ça fait partie d'un exercice où une multitude de gens pour qui travaille l'agence ont dû dire : "Oui, ça me paraît raisonnable, oui, ça va de l'avant." » Les analyses sont valides parce qu'aucune des personnes nommées par le gouvernement ne les conteste. Notre époque est vraiment formidable.

En plus de déformer les hypothèses « quantitatives », l'Agence n'a pas effectué d'analyses de sensibilité[104], ni considéré les facteurs « qualitatifs » associés au PPP, contrairement aux normes d'évaluation appliquées dans d'autres pays : précarité du transfert de risques, pérennité du consortium privé, flexibilité pour répondre aux besoins, par exemple. La présidente du Conseil du trésor a simplement conclu : « On ne peut pas se permettre de reculer. » Qui est ce « on » qui « ne peut pas se permettre de reculer » ? Ministre ? Gouvernement ? Système de santé ? CHUM ? Population ? Mystère.

Est-il si urgent de réaliser ces projets quand on en remet en cause l'analyse fondamentale ? Même l'Ordre des architectes dit qu'on ne perdra pas de temps si les CHU sont réalisés en mode conventionnel. Et quand les opposants aux PPP ont demandé un moratoire, la réponse du ministre nous a presque convaincus de sa bonne foi : « Les PPP ne sont pas une religion, on jugera de l'option la plus avantageuse, on choisira. » Depuis, une éternité s'est écoulée, et nous sommes en politique. Personne ne saura jamais quelle était la meilleure option. On dépensera des milliards de dollars en trop sans justification.

Il faut rappeler que le mode PPP n'a *pas* fait ses preuves pour la construction des hôpitaux, alors que les modes conventionnels, connus et maîtrisés, répondent aux besoins tout en respectant généralement les coûts. De plus, tout hôpital, véritable organisme vivant, est régulièrement sujet à des réorganisations majeures. Or, nul ne peut prédire l'évolution des soins, réalité particulièrement changeante dans des milieux universitaires, à

---

104. Épreuve de « solidité » qui consiste à faire varier les paramètres des hypothèses pour voir si les conclusions tiennent le coup.

l'avant-garde des innovations en santé. L'expérience acquise montre qu'une fois des contrats aussi complexes qu'inflexibles signés, le mode PPP induit une rigidité qui rend aussi coûteuses que laborieuses les améliorations périodiques requises, risquant de compromettre à long terme la qualité des soins et engendrant des coûts excessifs, comme chez les Britanniques.

Le concept de PPP en santé est remis en question, après que des gouvernements en aient constaté les limites et les coûts, jusqu'à 30 % plus élevés qu'en mode conventionnel. Il est rejeté dans certains pays où il était prisé il y a seulement 10 ou 15 ans, entre autres en Écosse et en France. En Grande-Bretagne, le constat est d'autant plus sévère que l'expérience était large : implantées sans égard aux besoins locaux, ces Private Finance Initiatives, des hôpitaux privés, ont été dessinées, construites et gérées depuis 1997 par des compagnies privées. Mais ils ont généralement moins de lits, coûtent plus cher en gestion et manquent de flexibilité pour la planification future. Depuis, on recule, les projets sont abandonnés ou bien recalibrés[105]. Enfin, près de chez nous, le vérificateur général de l'Ontario s'est montré tout aussi critique : le premier hôpital en PPP, situé à Brampton, a coûté 50 millions de plus que s'il avait été conçu par l'État.

Le plus triste ? C'est qu'après des manchettes dévastatrices, après la prise de position claire de plusieurs éditorialistes, après des demandes venant de tous côtés, après ce concert négatif unanime... c'est retombé à plat. On passe à autre chose, la blessure au bas du corps de Markov, par exemple. Peut-être

---

105. Jacky Davis, «The Marketisation of the English NHS», Assemblée annuelle de MQRP, 2009.

qu'ailleurs, on serait descendu dans les rues? Qui déjà parlait du confort et de l'indifférence? Confort médical et indifférence des citoyens?

Locataires pour 35 ans d'un hôpital dont nous aurons payé le loyer, garanti l'hypothèque et fourni le *cash down*, nous y aurons également perdu notre capacité de construire. C'est grave et c'est ce que nos enfants nous reprocheront.

La régression tranquille[*]

*La concurrence est essentielle au transfert effectif du risque.
Le nombre élevé de candidats peut inciter les partenaires privés
à concevoir leur projet de la façon la plus efficace possible et à minimiser
les primes exigées pour couvrir les risques transférés, ce qui permet
une optimisation de la dépense publique. Au contraire, en l'absence
de concurrence, l'État assume le risque quelles que soient
les conditions prévues dans le contrat de PPP.*

Vérificateur général du Québec,
Vigie relative aux projets de modernisation des centres hospitaliers
universitaires de Montréal – Partenariats public-privé

LES PREUVES s'accumulent au-delà de tout doute raisonnable : la construction d'hôpitaux en mode PPP coûte trop cher, limite l'offre de services et manque de souplesse. Mais qu'importe ! Le gouvernement et certains groupes continuent d'en vanter les avantages imaginaires : vive concurrence, moindres coûts, transfert du risque, injection de fonds privés, meilleure conception, etc.

Ces fantaisies ont pourtant été une à une contredites : la « concurrence » se limite chez nous à deux propositions (rien à voir avec une saine concurrence) ; le « transfert du risque » n'existe plus (le gouvernement a changé la formule, fournissant 45 % du montant pour la construction de même que des garanties de prêt) ; les coûts sont beaucoup plus élevés que prévu (et c'est nous, non pas « le privé », qui paierons) ; l'injection de fonds privés n'est plus qu'un leurre (de tels consortiums, dont

---

[*]   Deux lettres ouvertes de moi publiées dans *Le Devoir* (« L'esprit de compétition des PPP » et « La démission collective », les 18 et 26 mars 2010 respectivement) ont servi de matériel pour ce texte.

certains partenaires en quasi-faillite, n'arrivent plus à amasser de fonds, plus chers à l'emprunt) ; et la conception en pâtira.

Je n'aurais toutefois jamais imaginé qu'on pousserait plus loin la dérive : pour le centre de recherche du CHUM, dont la construction est en cours, il ne reste à la fin… qu'un seul consortium ! Un concours avec un seul concurrent ! Qui a gagné à votre avis ? On nous avait pourtant promis une meute de concurrents se lançant dans une lutte acharnée pour obtenir le contrat, de telle sorte que nous puissions conclure cette entente au meilleur prix.

La ministre Monique Gagnon-Tremblay affirme sans sourire que « le consortium restant n'avait jamais été mis au courant du désistement de l'autre, qu'il avait donc soumis sa proposition avec un esprit de compétition ». On est rassuré : Accès-recherche-CHUM ne savait pas qu'il était le seul groupe en lice, personne ne l'a informé, d'ailleurs il ne l'a pas demandé, et pendant que ses ingénieurs peinaient jour et nuit sur le projet, il n'a pas réalisé que son compétiteur présumé dépensait son temps et son argent sur un terrain de golf. Avait-on aussi débranché téléphone et Internet ?

Le tour de force nous fait siffler d'admiration : se concurrençant lui-même avec une vigueur renouvelée, voulant s'arracher coûte que coûte le contrat si convoité, le courageux consortium a battu ses propres prix, s'est doublé lui-même dans le dernier droit et a remporté finalement cette course haletante… en solitaire. Par la vertu de cet « esprit de compétition » remarquable, le centre de recherche du CHUM sera construit au meilleur coût possible. La ministre l'a dit. Mais c'est bien entendu impossible de comparer le prix obtenu avec d'autres offres.

Je dois avoir l'esprit mal tourné pour douter à ce point de la probité du processus. Lorsque le vérificateur général a dénoncé vertement l'Agence des PPP pour son travail aussi bâclé que partial, j'ai aussi eu la faiblesse de m'interroger. Surtout après avoir constaté qu'on avait creusé la première pelletée de terre une semaine avant l'annonce de la décision d'aller de l'avant. On nous a aussi gavés d'explications extravagantes pour nous convaincre que ce résultat était respectueux des règles, qu'il était irréprochable. Mais c'est aussi vraisemblable que l'Immaculée Conception.

Le gouvernement a persisté, puis signé. Et il faut être naïf pour croire qu'on s'obstine à ce point sans raison. Pourquoi, en effet, imposer contre vents et marées un PPP, presque sans appui, sauf dans des cercles restreints qui, soulignons-le, n'osent s'afficher puisqu'on y est souvent juge et partie? Pourquoi persister malgré tous les avertissements? Même le constructeur du centre de recherche a dit publiquement que le projet ne devait pas être réalisé en PPP. Tout cela est troublant. Cela pourrait être idéologique: la coïncidence de l'administration publique avec des intérêts bien identifiés, pas nécessairement ceux des patients, du personnel, des médecins ou de la population.

Un tel choix participe d'un mouvement de fond visant à relever l'État de ses responsabilités premières en santé (cet immense marché) afin de les confier au secteur privé (ingénierie, finances, assurances, droit, etc.). Le mode PPP pour les CHU est en quelque sorte un cheval de Troie. Il accélère la transformation majeure des finalités sociales de l'État. Cette décision déterminera qui, à l'avenir, planifiera les grands projets, les financera, les contrôlera et en profitera. C'est cela l'enjeu, le fond de l'affaire.

Ce précédent constitue l'amorce d'un changement de cap pour lequel il valait la peine de risquer de perdre temporairement quelques points dans les sondages. De toute façon, il faut se rendre à l'évidence : la question, qu'on a pris soin de recouvrir de considérations bureaucratiques, n'a pas soulevé les foules. Il y avait peu de risques politiques de ce côté.

Cet affaiblissement progressif de notre capacité d'influer publiquement sur le cours des choses, un mouvement véritablement opposé à l'esprit de la Révolution tranquille, participe d'une sorte de *régression tranquille* dont nous lèguerons les malheureux effets à nos enfants – après avoir profité au mieux de ses fruits. C'est un renoncement aussi fondamental qu'irréfutable – et surtout irrémédiable vu les échéanciers démesurés en cause. Nous l'aurons bêtement accepté sans broncher, aveuglés par la complexité dont on a enveloppé cette affaire, ou encore tout simplement inconscients de l'ampleur et de la gravité des enjeux.

Pressés d'avoir nos CHU, nous avons refusé d'aller au fond des choses. En refusant de réagir, nous avons choisi notre camp : celui de la démission collective. J'ignore si nous nous en remettrons.

Un chum par défaut[*]

*Il n'y a plus de concurrence dans la course au partenariat
public-privé (PPP) pour la construction du Centre hospitalier
de l'Université de Montréal (CHUM). L'un des deux soumissionnaires
a été disqualifié pour des raisons financières, a appris Le Devoir. [...]
Au cabinet du ministre de la Santé, Yves Bolduc, on affirme que
« le processus concurrentiel a été respecté », compte tenu du fait que
les deux consortiums ont déposé leur proposition technique
à la mi-décembre et leur scénario financier le 31 janvier dernier.*

Kathleen Lévesque, « CHUM : un consortium
l'emporte par défaut », *Le Devoir*, 22 février 2011

CE QU'IL Y a de formidable dans la mise en place du CHUM, c'est l'abnégation et l'incroyable professionnalisme des consortiums soumissionnaires, qui auront tenu le coup jusqu'au bout. Pas évident.

A-t-on seulement réfléchi à ce tour de force ? D'abord, pour le centre de recherche, et ensuite pour le CHUM, les soumissionnaires gagnants ont réussi, contre vents et marées, à soutenir un rigoureux processus de concurrence – mais sans concurrent ! Cela ne va pas de soi ! D'autant plus que le principe de toute la démarche, la vague justification théorique des PPP, c'était justement d'épargner l'argent du contribuable par les vertus de la concurrence.

Le fait que l'un des deux groupes était pratiquement sous respirateur artificiel fut apparemment un secret parfaitement gardé. Difficile de réprimer un sifflement d'admiration : durant plus de 400 réunions, les deux consortiums ont soigneusement

---

[*]   Cette lettre ouverte a été d'abord publiée dans *Le Devoir* le 23 février 2011, puis réécrite pour la présente publication.

évité, pour notre seul bien, d'aborder ces sujets tabous que sont la concurrence, le financement ou la viabilité de leur entreprise. De telle sorte que le gagnant par défaut, Innesfree-OHL-Dalkia, ignorait totalement la situation de l'autre et s'est concurrencé avec fougue – mais tout seul. Ben voyons!

Déjà, pour le centre de recherche du CHUM, la ministre Gagnon-Tremblay nous avait assuré que «l'esprit de compétition» avait été maintenu malgré un désistement – et nous avions avalé cette couleuvre sans réagir. Plus tard, le bon ministre Bolduc, qui semble consentir à l'idée du PPP plutôt qu'y adhérer, nous informait que «le processus concurrentiel a[vait] été respecté». L'esprit, donc, puis le processus. Et la prochaine fois ce sera quoi? L'âme?

Le gouvernement nous a pris pour des valises et, en nous tenant par nos poignées dans le dos, a encore réussi à nous faire marcher. Il nous a fait entrer dans la gorge un PPP dont *personne* ne voulait – ni les médecins, ni les infirmières, ni les architectes, ni les ingénieurs, ni les constructeurs, ni les travailleurs, ni les syndicats, ni le vérificateur général et ni même le ministre Bolduc. Personne, sauf le gouvernement lui-même – pour des raisons stratégiques: promouvoir le désengagement de l'État afin d'ouvrir la place à l'entreprise privée.

Alors que nous avions réussi, au Québec, à très bien mener les grands projets hospitaliers sans dépassement de coûts, une telle décision est une aberration – mais à quoi bon le dire, le répéter, l'écrire, plus personne n'écoute là-haut.

Un consortium l'ayant emporté par défaut, nous aurons un CHUM par défaut. Par défaut de ce qui aurait pu être: diriger nous-mêmes la conception et la construction du plus gros hôpital de l'histoire du Québec, en mode conventionnel et non en fonction de cette fumeuse théorie des PPP, qui finira par nous coûter plus cher pour obtenir moins et qui altérera pour longtemps notre expertise dans la réalisation de grands projets hospitaliers.

C'est ce qu'on appelle une vision de grand bâtisseur.

Erreur fondamentale[*]

À l'époque, on souhaitait que plus jamais un malade ne soit privé de soins en raison de sa situation financière. Cela aurait dû se traduire par le plafonnement des sommes que devrait payer un malade, en tenant compte de ses revenus. On a plutôt opté pour une voie beaucoup plus généreuse, mais aussi épouvantablement coûteuse, la gratuité des soins pour tous. Les dépenses de santé allaient être payées par les taxes et impôts, notamment par l'impôt sur le revenu auquel échappent 40 % des particuliers.

André PRATTE, « Qui paiera ? », *La Presse*, 9 avril 2010

DANS SON ÉDITORIAL du 9 avril 2010, M. André Pratte échappe une phrase malheureuse : l'ajout d'un impôt spécifique à la santé permettrait de « corriger une erreur fondamentale commise lors de la mise sur pied du régime d'assurance maladie [...], épouvantablement coûteuse, la gratuité des soins pour tous ». Cette affirmation insolite suppose en corollaire que là où cette gratuité n'existe pas, les coûts de santé n'ont pas augmenté « épouvantablement » et qu'en corrigeant cette erreur, nous pouvons « modérer la consommation » des « quelques cas de gens qui abusent », tout en rendant les Québécois « plus conscients de l'explosion des coûts ». Beau programme.

Quand on veut tuer son chien, on dit qu'il a la rage. S'appesantir sur les coûts exorbitants du système de santé autorise bien des amalgames et des sophismes. Trop souvent, ceux qui

---

[*] Ce texte est une réponse à un éditorial d'André Pratte paru le 9 avril 2010 qui fut refusée par son journal, mais que j'ai fait paraître dans une première version sur le site Professionsante.ca en avril 2010. Le texte a été remanié pour la présente édition.

s'alarment de l'explosion des coûts du système de santé cherchent avant tout à en transformer la nature – le corrompre, dirait Aristote! Avant de dénoncer la gratuité des soins et l'inflation des dépenses qu'elle provoque, comme nous y invite M. André Pratte, il faudrait donc au moins s'assurer de la justesse des prémisses.

Replaçons ses affirmations dans un contexte plus large, soit l'ensemble des pays de l'OCDE et un plus petit groupe de neuf pays aux économies et aux niveaux de vie semblables aux nôtres : France, États-Unis, Australie, Japon, Norvège, Suède, Suisse et Grande-Bretagne[106].

D'abord, il faut savoir que le pourcentage du PIB affecté aux dépenses de santé était, au Canada, de 10,1 % en 2007. Le Canada s'en tire à bon compte quant aux dépenses publiques : 2 726 dollars par habitant et par année, contre 2 771 dollars en moyenne dans ce groupe. La Norvège, souvent citée en exemple, dépense beaucoup plus : 4 005 dollars ; la France est comparable à nous avec ses 2 844 dollars. Le Canada se situe en fait au neuvième rang de l'ensemble des pays de l'OCDE. Épouvantablement coûteux, notre système ? Et à ceux qui, toujours les mêmes, rêvent de voir la part du privé s'accroître, il faut rappeler que seulement 70 % du financement de la santé provient de sources publiques au Canada. À cet égard, le Canada n'arrive qu'au 18ᵉ rang des pays de l'OCDE.

Quant au « co-paiement », inclus dans le 30 % provenant du privé, des contributions directement payées par les patients et leurs familles pour des soins, on entend trop souvent que les

---

106. Ces données sont tirées de rapports de l'OCDE et n'ont pas été mises à jour pour conserver le contexte de 2010. Elles étaient à l'époque les plus récentes.

Canadiens ne payent « rien » pour leurs soins et « abusent » en conséquence du système. Rien n'est pourtant moins vrai.

En effet, en 2007, nous assumions des co-paiements variés à hauteur de 14,9 % des dépenses totales de santé, proportion plus élevée qu'en France (6,8 %) et comparable à celle du groupe des pays apparentés (15,5 %), où on retrouve le co-paiement sous diverses formes, par exemple des frais dentaires, des coûts pour les médicaments, des dépenses pour des soins à domicile. Ce qui représente annuellement 580 dollars pour chaque Canadien, plus du double de la part assumée par les Français (246 dollars), plus que celle des Japonais (366 dollars), des Anglais (343 dollars) et des Suédois (528 dollars).

Gratuit? Occupant ici le septième rang de l'OCDE, en quoi aurions-nous besoin de frais modérateurs supplémentaires, quand on sait qu'une hausse modeste de ces co-paiements conduit à une diminution des consultations externes, une hausse des hospitalisations et de leur durée et, plus généralement, à un accroissement des coûts – effets tous opposés à ceux recherchés? Tout cela pour rendre les patients « conscients des coûts »?

Actuellement, les patients font déjà face à une multiplication de frais accessoires qui outrepassent le cadre légal pour obtenir des soins; ce n'est sûrement pas le moment d'accroître ces co-paiements. Au contraire, il faut les éliminer. L'accès aux soins médicalement requis ne doit pas faire l'objet d'une tarification qui pourrait en limiter l'accès. D'autant plus que de tels frais à l'utilisation contreviennent à l'article 19 de la Loi canadienne sur la santé : « Une province n'a droit, pour un exercice, à la pleine contribution pécuniaire visée à l'article 5 que si, aux termes de son régime d'assurance santé, elle ne permet pour cet exercice l'imposition d'aucun frais modérateur. »

L'augmentation des dépenses en santé est réelle au Canada, mais ni « en explosion » ni « épouvantablement coûteuse ». Comme le concluait l'OCDE, ces dépenses « continuent d'augmenter en proportion du PIB du fait des nouvelles technologies médicales, coûteuses, et du vieillissement de la population ». Des faits qui, reconnaissons-le, placent le débat dans une plus juste perspective que celle de M. André Pratte.

Socialiser les risques

LES CLINIQUES privées-privées visent le profit. Elles doivent en conséquence *rentabiliser* leurs activités. Ce qui n'est pas sorcier : il suffit de *choisir* les patients les plus « rentables », c'est-à-dire les moins malades et les moins à risque de complications. Opérer une jeune personne en bonne santé occasionne des coûts beaucoup plus facilement prévisibles que ceux nécessaires pour soigner une personne âgée. Or, en affaire, la capacité de prévoir les coûts permet de bien prévoir les profits.

Le système de santé public, quant à lui, ne choisit pas ses patients : c'est un principe fondamental. La multiplication des cliniques à but lucratif entraînerait donc une division des tâches inévitable : le privé monopoliserait les patients à bas risque, « rentables », et le secteur public se retrouverait avec les cas lourds. D'ailleurs, lorsque le réseau public sous-traite des soins dans le privé, il s'agit généralement des activités médicales légères, simples et rentables. Ce qui laisse, bien entendu, une proportion plus grande de patients malades sous les soins du réseau public. Heureusement pour ces patients, d'ailleurs : leurs besoins plus complexes ne pourraient être adéquatement pris en charge autrement.

Mais cette clientèle plus malade engendre aussi des coûts plus importants. Alors quand on utilise des critères de performance et de rentabilité, forcément imparfaits, pour évaluer l'efficience des soins, c'est un problème : non seulement le réseau public est-il alors défavorisé, mais il peut l'être doublement si on associe ensuite à cette évaluation une répartition des budgets sur la base des indicateurs de « performance ». À terme, des transferts budgétaires aussi inconséquemment fondés peuvent compromettre la capacité du public à offrir des soins de qualité.

C'est ce qu'on observe en radiologie, où des exceptions à la loi permettent de développer une pratique privée lucrative. Mais on le voit aussi maintenant dans d'autres disciplines : en gastroentérologie par exemple, où on remarque un transfert significatif d'activités vers le privé. Même si l'examen est encore payé par la RAMQ, on exige des frais accessoires déraisonnables et contraires à la loi, qui limitent grandement l'accès et qui créent en conséquence deux catégories de patients : ceux qui peuvent payer ces frais... et les autres. Les délais d'attente, pratiquement absents dans ces cliniques, s'allongent conséquemment dans les hôpitaux où elles ont été chercher leurs spécialistes. C'est inacceptable, mais toléré par le gouvernement.

Pour ce réseau privé en expansion, le bon patient est en bonne forme physique, pas très malade et n'a besoin que d'une intervention brève, entraînant peu de complications et dont le suivi est réduit au minimum. Si on peut aisément anticiper les coûts directs des interventions chirurgicales en prenant en compte des paramètres fixes comme la durée de l'intervention, le matériel utilisé, les soins directement associés, les coûts des rares complications demeurent quant à eux plus difficiles à prédire : on sait seulement que certains patients les subiront, sans pouvoir dire lesquels. C'est une vérité statistique. Un simple scan avec injection de colorant peut mener à une réaction allergique sévère. Une arthroscopie au genou peut causer des caillots dans une veine de la jambe puis une embolie pulmonaire. N'importe quelle chirurgie peut engendrer une infection grave. Et on ne peut prévenir qu'une partie de ces complications.

Alors qui va payer? Va pour l'infection mineure d'une plaie chirurgicale, traitée par antibiotiques et parfois une petite intervention qui peut se faire en clinique. Mais pour les vraies complications, où le patient sera-t-il soigné? À l'hôpital, bien entendu, dans la partie publique du réseau. Même si le plus souvent les soins seront de durée limitée, les complications seront parfois d'une telle gravité qu'elles requerront une hospitalisation prolongée, peut-être même aux soins intensifs. Ce qui bien évidemment engendrera des coûts énormes, plusieurs milliers de dollars par jour[107].

Qui paiera? Nous! La collectivité, pour mieux dire, par le biais de l'assurance maladie collective. Une bonne chose pour le patient, seul le système public pouvant assurer des soins aigus et complexes. Mais aussi une bonne nouvelle pour les cliniques privées, qui *de facto* se dégagent de ce que tout entrepreneur avisé craint: les risques imprévisibles onéreux, qui peuvent enlever le goût de se lancer en affaire. Même les assureurs privés tirent profit de ce système: pour la partie des soins non couverts par la RAMQ, qui peuvent être assurés par le privé, ces complications graves et rares sont pour la plupart exclues des calculs de risque.

Cela se traduit par cette formule connue s'appliquant à beaucoup de secteurs du paysage économique contemporain: « Privatiser les profits, socialiser les risques. » Non seulement la partie publique du réseau doit-elle porter la responsabilité des coûts pour soigner les patients dont le privé ne veut pas, mais

---

107. L'hôpital du Sacré-Cœur, par exemple, facture 5 772 dollars par jour d'hospitalisation aux soins intensifs pour les patients étrangers. www.hscm.ca/usagers-et-proches/sante-physique-pavillon-principal/votre-arrivee/frais-dhospitalisation/index.html

elle doit également se mettre à la disposition du privé pour payer les pots cassés, lui laissant le loisir de se concentrer sur la portion des soins la plus simple à organiser et à la faire fructifier. Ce dont l'actionnariat bien évidemment ne se plaindra sûrement pas.

Si le privé s'inspirait vraiment d'un prétendu modèle de libre marché, il devrait non seulement assumer la partie profitable des soins, mais aussi l'ensemble des risques associés, dont celui des complications graves. Au fait, pourquoi les hôpitaux publics n'envoient-ils pas de facture pour ces coûts, alors que la loi leur permet de le faire en cas de faute ? Je l'ignore.

Mais nul doute qu'aux conditions du marché, les promoteurs enthousiastes réfléchiraient à deux fois avant d'investir dans les soins privés. La question de l'expansion d'un réseau privé parallèle de soins ne se poserait peut-être tout simplement plus.

Cela dit, l'important dans tout ça, c'est la sécurité du patient. Le système de santé public ne l'abandonnera pas, peu importe où il choisit d'être opéré. Il peut dormir sur ses deux oreilles. Ce qui est dommage, par contre, c'est que, du même coup, les actionnaires de ces cliniques dormiront encore mieux.

LES MÉDECINS CONTESTENT LE TICKET

Dans son budget 2010, le ministre Raymond Bachand propose l'instauration d'un ticket modérateur. Ballon d'essai en vue de mieux faire passer sa taxe santé ou volonté réelle d'instaurer des frais d'utilisation en santé? On l'ignore. Son projet est finalement retiré suite à la fronde médicale menée par MQRP, et une conférence de presse à laquelle participent la plupart des grandes organisations médicales. Le texte suivant est la déclaration préparée pour la conférence de presse[108] et publiée comme lettre ouverte dans le journal Le Soleil le 7 mai 2010.

L E BUDGET BACHAND 2010 propose l'instauration d'une franchise santé qui serait calculée en fonction du nombre de visites médicales effectuées durant l'année. Cela équivaut à un ticket modérateur. Une telle mesure obligerait les malades à verser des sommes d'argent supplémentaires à l'État pour rencontrer leur médecin ou recevoir des soins.

Cette proposition est inacceptable : non seulement on ne doit pas taxer la maladie, mais le concept même d'utilisateur-payeur ne peut s'appliquer à la santé.

Reconnaissant la nécessité de financer adéquatement le système de soins, nous refusons toutefois que ce financement prenne la forme d'un ticket modérateur ou orienteur pouvant avoir des conséquences néfastes sur la santé de nos patients, porter atteinte au lien de confiance médecin-patient et rendre encore plus complexe la gestion du réseau de la santé. De plus, aucune diminution des coûts n'est garantie avec une telle

---

108. Médecins signataires originaux : Alain Vadeboncoeur, Marie-Claude Goulet, Louis Godin, Guillaume Charbonneau, Yann Dazé, Jean-François Lajoie, Myriam Auclair, Sylvain Dion, Réjean Hébert, Pierre J. Durand, Jean L. Rouleau et Richard Levin. Position de MQRP.

initiative, bien au contraire. Rien ne justifie une telle remise en cause des principes de l'assurance maladie, où les soins médicalement requis sont couverts par un régime public financé collectivement.

Lorsque nos patients consultent, ce n'est certainement pas pour le plaisir, mais pour prendre soin d'eux-mêmes ou pour effectuer les suivis demandés et les examens requis. Notre désaccord est d'abord éthique : un ticket modérateur (ou « franchise santé ») risque de compromettre l'accès aux soins pour les personnes les plus vulnérables. Nous refusons l'idée que dorénavant nos patients puissent décider de consulter ou non en fonction de leurs moyens plutôt que de leurs besoins.

C'est pourtant ce qui arrivera si un ticket modérateur est instauré : comme c'est arrivé dans d'autres pays, certains patients retarderont ou annuleront des consultations, ce qui fragilisera la continuité des soins et conduira à une augmentation des hospitalisations et, conséquemment, des coûts. Parallèlement, la promotion de la santé et la prévention, éléments fondamentaux d'un bon système de santé, seront laissées pour compte.

Modulée ou non, c'est une option éthiquement douteuse, médicalement indéfendable et d'autant plus injustifiée que les jeunes familles, les personnes âgées, les malades chroniques et les patients les plus pauvres en seront les premières victimes. Dans la perspective du vieillissement de la population et de la pandémie de maladies chroniques qui l'accompagne, cette mesure va à l'encontre de l'adaptation essentielle du système de santé à ces nouveaux défis.

Faut-il souligner la difficulté pratique de mettre en place une telle mesure ? On souhaite « modérer » ou « orienter » nos patients, mais comment évaluer si leurs « choix » seront ou non « adé-quats » ? Selon quels critères nébuleux ? Bien répondre demandera une connaissance précise des conditions médicales et des trajectoires de soins. Qui en jugera ? Un médecin, peut-être le médecin traitant ? Nous n'avons pas l'intention de nous prêter à ce jeu.

D'un strict point de vue comptable, les coûts d'administration d'un tel programme risquent de dépasser largement les « gains » théoriques qu'il pourrait permettre, sans compter que l'aggravation prévisible de l'état de santé et la hausse consé-quente des hospitalisations entraîneront de nouvelles dépenses. De plus, en contradiction directe avec les principes de la Loi canadienne sur la santé, le ticket modérateur fera l'objet de batailles juridiques aussi ruineuses qu'inutiles.

Rappelons qu'à l'inverse de certaines idées reçues, l'utilisa-tion du système de santé suppose *déjà* des déboursés directs provenant des patients, qui payent de leur poche une part signi-ficative des soins – ce qui n'est pas entièrement couvert par l'assurance maladie : médicaments, dentisterie, physiothérapie, etc. Or, d'après l'OCDE, les montants en jeu sont déjà plus éle-vés au Canada que dans la plupart des pays comparables. Com-ment dès lors justifier une hausse supplémentaire sous forme de ticket modérateur ?

Nos patients n'ont pas à subir les effets pernicieux d'un tic-ket modérateur. L'implantation de cette mesure aussi injuste qu'inefficace se ferait à leur détriment. Et ils risquent malheu-reusement d'en payer le prix... de leur santé. Il faut *favoriser* l'accès à un médecin plutôt que d'y *nuire*, parce que plus de 25 % des Québécois n'ont pas de médecin de famille, de loin le pire résultat au Canada.

Nous rejetons fermement une proposition qui ferait en sorte que les Québécois aient à défrayer des coûts pour chaque consultation médicale. Nous sommes d'avis qu'il faut redoubler d'ardeur pour implanter les solutions connues, démontrées efficaces et qui amélioreront notre système de soins : une meilleure organisation de la première ligne et une bonification des ressources qui lui sont allouées, le suivi intégré des malades chroniques (ce qui prévient les consultations à l'urgence et les longues hospitalisations), l'informatisation du dossier patient et la gestion centralisée des listes d'attente doivent compter parmi les priorités gouvernementales.

Le gouvernement doit orienter son action vers ces chantiers plutôt que d'instaurer un ticket modérateur.

Soigner public : un choix éthique vital

En mai 2008, 50 000 personnes participaient à la manifestation « Ensemble pour la santé » et se rendaient au parc Maisonneuve pour écouter les discours dénonçant les menaces de privatisation du réseau de la santé. J'y étais, représentant l'organisation Médecins pour l'accès à la santé, qui est devenue quelques semaines plus tard MQRP. J'y ai rappelé l'importance éthique de choisir et de défendre le système de santé public[109].

DANS NOTRE SYSTÈME de soins, les patients sont traités en fonction de priorités médicales : les plus malades d'abord. Et c'est très bien ainsi. Nous sommes en effet égaux devant la maladie, la douleur, le deuil, l'angoisse, la mort. Or, nos choix de société influent largement sur la capacité des individus à vivre ces expériences dramatiques. Nous ne voulons pas qu'un jour plus ou moins lointain, le prochain patient à soigner soit choisi selon sa capacité de payer et non selon la gravité de son état. L'accès équitable aux meilleurs soins possible doit rester un objectif éthique fondamental.

Le degré de confiance que nous accorderons au régime de soins public déterminera largement son évolution au cours des prochaines décennies. C'est une évidence, mais les médecins du Québec sont encore trop silencieux à ce sujet.

Un accès gratuit et universel aux soins, aujourd'hui si naturel, était encore il y a quelques décennies un projet de société.

---

109. Texte d'abord publié dans *Le Devoir* le 23 mai 2008 et adapté pour le présent ouvrage. Il donne la position de Médecins pour l'accès à la santé, et ses auteurs sont Alain Vadeboncoeur, Louise Authier, Marie-Michelle Bellon, Lucie Dagenais, Charlotte Dussault, Saïdeh Khadir, Paul Lévesque, Véronique Morin, Marie-Jo Ouimet, Simon Turcotte et Cory Verbauwhede.

Qui n'a pas connu naguère un oncle s'étant ruiné pour obtenir quelques soins? Notre souhait, c'est que nos enfants puissent grandir et fonder à leur tour une famille dans une société où cet accès universel restera l'un des fondements de l'équilibre social. Le régime de soins public que nous nous sommes donné n'appartient pas à une seule génération; travaillons à ce qu'il nous survive!

Ce régime équitable est-il pour autant parfait? Bien sûr que non. Il y a d'abord cette pénurie de professionnels; mais imaginez les problèmes si une nouvelle vague d'entre eux quittait maintenant le réseau public pour s'établir dans un réseau privé parallèle. Il y a des problèmes d'accès, évidents, mais pas «immuables» ou «irréversibles», comme on le pense parfois. Les solutions existent. Quand on leur accorde les moyens, les gens du réseau sont capables de grandes réussites. On en parle peu dans les médias, qui préfèrent insister sur les problèmes. Il ne faut pas leur en faire reproche pour autant: à dénoncer ce qui ne fonctionne pas, ils jouent un rôle essentiel de contre-pouvoir. Évitons simplement de confondre cette image avec le réseau lui-même, et prenons cela comme un défi!

Pour améliorer l'accès et la performance du système de soins, il faut y travailler ensemble: gouvernement, MSSS, médecins, infirmières, autres professionnels, syndicats, gestionnaires, etc. On peut y arriver.

Notre position ne tient pas de l'angélisme ou de la naïveté. Le vrai défi aujourd'hui est de promouvoir et d'appliquer des solutions efficaces, généralement publiques. Pourtant, certains polarisent le débat et veulent rapidement nous pousser à des choix irréversibles: par exemple, ouvrir *dès maintenant* la porte à une prestation et à un financement privés des soins, par des mécanismes qui pourraient avoir à long terme des effets aussi néfastes que sous-estimés. Ainsi, certaines transformations proposées par la commission Castonguay, notamment la conversion des agences de santé, passant du rôle de fournisseurs à celui d'acheteurs de soins publics et privés, risquent de mener à une marchandisation de la santé qui pourrait la soumettre aux règles du commerce international.

Le développement d'un système privé aux dépens du régime public, en plus de nous éloigner d'une équité essentielle, ne permettra pas de rehausser l'accès aux soins. Les arguments invoqués pour appuyer l'expansion du privé en santé, comme la diminution des coûts de revient, l'allègement de la bureaucratie et la diminution des listes d'attente, ne résistent pas à l'analyse, toutes ces mesures produisant souvent l'effet inverse. Or, la devise médicale par excellence est *Primum non nocere*, *Avant tout ne pas nuire*. S'il faut choisir maintenant, réaffirmons notre profond attachement au régime de santé public et travaillons de tout cœur à l'améliorer.

« Le médecin ne peut refuser d'examiner ou de traiter un patient pour des raisons de condition sociale », dit le Code de déontologie de la profession. S'inquiéter légitimement de l'accroissement du recours au privé dans notre système de soins est un réflexe éthique essentiel, mais aussi et surtout la conséquence d'une analyse rigoureuse.

Les médecins ont aujourd'hui une grande responsabilité : il ne faut pas laisser tomber le réseau public, s'en retirer, baisser les bras. Si l'époque est à la morosité, il s'agit au contraire de relever la tête et de se concentrer sur notre mission première, afin d'en assurer la pérennité : soigner sans discrimination.

C'est le défi que nous nous donnons.

Parlez-en à votre médecin.

Troisième partie

Vital

Pour bien soigner en peu de mots ?

DEPUIS LE DÉBUT de cet ouvrage, j'ai décrit quelques réalités importantes de notre système de santé, de même que les menaces que je perçois.

J'ai notamment abordé des enjeux liés à l'engagement professionnel, au financement, à la prestation de soins, aux pharmaceutiques, à l'éthique et à la mixité de pratique ; j'ai montré ce qui a motivé les combats menés contre les PPP et le ticket modérateur ; j'ai passé au crible des solutions qu'on dit incontournables, mais qui me semblent pétries d'illusions, comme l'expansion des cliniques médicales privées.

On reproche souvent à ceux qui s'élèvent contre le privé en santé d'être seulement « contre » et rarement « pour ». Pourtant, la plus importante responsabilité de ceux qui défendent le système de santé public est de s'engager à l'améliorer et à le développer. Bien sûr, c'est aussi le rôle le plus difficile et le plus complexe.

Si soigner public est un choix éthique vital, autant pour nos patients que pour le système de santé lui-même, comment agir pour mieux soigner tout en respectant le cadre éthique fondamental que nous nous sommes donné ? Alors, à partir de maintenant, soyons « pour ».

Si je vous résumais les mesures à entreprendre en une seule phrase, vous me diriez sans doute que c'est un peu court. Essayons tout de même :

Pour bien soigner en peu de mots? Il faut simplement soi-
gner sans nuire, en agissant dans la continuité, pour que le
bon patient reçoive, du bon soignant, des soins pertinents
et des médicaments utiles, au moment indiqué et dans le
lieu approprié, en visant le bon niveau de soins, en favori-
sant la prévention et en apprenant de nos erreurs. Il faut
coordonner l'ensemble, afin de rétablir la mission clinique,
en assurant un financement suffisant et des ententes pro-
fessionnelles efficaces, afin que chacun se responsabilise. Et
maintenant, à vos jaquettes, engagez-vous!

Et voilà le programme! Explorons maintenant chacune des propositions dans de courts textes qui se limiteront aux points essentiels. À la fin de l'exercice, nous n'aurons peut-être pas indiqué toutes les solutions. Mais les pistes les plus fondamentales auront certainement été abordées.

Il faut simplement soigner...

Une *idée simple* inspire notre système de santé public : il faut collectivement prendre soin de nos malades. Sur cette base s'érige tout l'édifice. En théorie du moins.

En pratique, qui voudrait se retrouver ministre de la Santé et diriger ce réseau complexe, tiré dans tous les sens par les lobbys, secoué par des crises, critiqué par les commentateurs et ausculté par les experts, enjeu de tous les impératifs partisans et mal aimé par un peu tout le monde – et devoir assumer, malgré le tumulte, l'immense responsabilité d'offrir aux citoyens des soins de qualité, pertinents et accessibles ? L'énormité du défi évoque le mythe de Sisyphe ! D'où, peut-être, la tentation de le réduire à des paramètres inspirés par le monde des affaires : indicateurs de performance, critères d'efficience et objectifs de coût/efficacité – au risque de la dénaturer. Comment garder vivant le souci du patient dans ce contexte ? Cette dérive de la gestion publique ne se limite pas à l'univers de la santé : c'est un large mouvement qui tend à réduire l'art de gouverner à des techniques de gouvernance.

Dans le système de santé, les orientations sont décidées *d'en haut*, cela va de soi : dans le bureau du ministre. Ou même souvent de *plus haut*, on s'en doute. Mais les soins se donnent *en bas,* sur le terrain : à domicile ou dans le bureau du médecin, dans l'ambulance ou la salle de choc, au bloc opératoire ou aux soins intensifs, à l'unité de soins ou au centre de longue durée. Physiquement, administrativement et opérationnellement, la distance entre la tête dirigeante et ce corps agissant est immense ; il faut cependant que le courant passe, parce que les soins en dépendent.

Mais comment un ministre s'assure-t-il de la qualité des soins prodigués alors qu'il en est si éloigné? La réponse est dans la question : n'y pouvant rien par lui-même, devant entièrement compter sur le savoir-faire collectif considérable des gens du réseau, son rôle est de mettre en place les conditions qui leur permettront de bien répondre aux besoins de chaque patient – un principe de gestion d'ailleurs aussi simple que l'idée même qu'il doit servir.

... SANS NUIRE...

ON PEUT TOUJOURS faire mieux, c'est évident. Une question plus difficile, c'est : comment ? Tout le monde voudrait que tout aille toujours bien, mais sur les moyens à prendre, il est souvent difficile de s'accorder. Ah, ce ne sont pas les idées qui manquent ! On ne compte plus les rapports d'experts produits au fil des décennies, certains fort intéressants, d'autres moins, et quelques-uns franchement inacceptables. Ceux qui prônent l'idée d'un système de santé à deux vitesses tombent pour moi rapidement dans cette dernière catégorie.

Les options fusent ! Doit-on se convertir au privé, se contenter d'une réforme, ne rien changer au réseau ou au contraire renforcer son caractère public ? Toutes les options ont été évoquées. Et le citoyen bousculé à droite et à gauche ne sait plus à quel saint se vouer.

Je crois qu'il faut d'abord... rester prudents. La maxime *Avant tout, ne pas nuire*, qui est la plus importante en médecine, doit aussi inspirer notre gestion du système de santé. Et comme il suffit, quand on soigne, de mal doser une intervention ou un médicament pour entraîner une redoutable spirale, toute réforme administrative inconsidérée, mal planifiée ou improvisée comporte un risque réel de nuire aux patients. Parce que le système de santé, si vaste soit-il, n'en demeure pas moins fragile. Il faut en effet beaucoup de professionnalisme, de patience, d'esprit de synthèse, de compréhension, de culture même, pour prétendre améliorer son fonctionnement. Mais, en même temps, on ne peut le condamner à l'immobilisme, parce qu'il doit, comme tout organisme vivant, croître et se développer. Sinon, il se rend vulnérable à ceux qui proposent des solutions radicales comme la privatisation. La difficulté reste de concilier la prudence nécessaire avec la nécessité d'agir.

... EN AGISSANT...

L A PRUDENCE est une vertu essentielle pour éviter les déra-
pages, mais un solide leadership est tout aussi nécessaire
pour avancer, pour mettre en mouvement une structure aussi
lourde et complexe que le système de santé.

Il faut que la volonté d'agir imprègne toutes les instances
décisionnelles, que le courant passe du haut jusqu'en bas –
mais aussi du bas jusqu'en haut. Ce n'est pas toujours facile
dans un réseau où les nœuds de résistance et les lobbys abon-
dent et jouent souvent leur propre jeu : l'information, un élé-
ment crucial, se rend parfois difficilement vers le bas, et celle
qui remonte se trouve souvent altérée, notamment par la
volonté des gestionnaires d'envoyer des signaux trop positifs.

Les changements de grande ampleur, les plus riches en possibilités, mais aussi les plus risqués, sont planifiés d'en haut : la
Loi sur l'assurance maladie en 1970 a changé la nature du
réseau, la création des régies régionales en 1991 a transformé
son visage, le virage ambulatoire de la fin des années 1990 a
renouvelé son organisation et les fusions d'établissements en
2004 ont métamorphosé ses structures. Des mouvements de
cette envergure sont rares mais affectent pour longtemps le
réseau, qui doit ensuite en subir les contrecoups et s'adapter.

Agir localement reste toutefois une excellente façon d'expé-
rimenter et d'innover. J'en connais, autour de moi et partout
ailleurs, qui font avancer les choses, travaillent fort, animent
des équipes, élaborent des projets et les implantent avec succès
– et parfois les exportent. Ce sont des soignants de bonne
volonté, comme la majorité des gens qui ont choisi de s'occuper

ainsi de la santé des autres. Ces innovations sont le fruit de leur motivation et de leur expertise. Confrontés à des problèmes, ils conçoivent, avec leurs équipes et inspirés par leurs patients, des solutions nouvelles et trouvent l'énergie qu'il faut pour les appliquer. Il est essentiel de les écouter : leurs opinions devraient plus souvent influencer les décisions des paliers supérieurs. Grâce à eux, notre système de santé public survit malgré ses problèmes de financement, continue de se développer malgré le manque de personnel et permet de soigner les gens de mieux en mieux malgré les difficultés d'accès. Il faut être en mesure de mobiliser ces personnes, de capter leurs idées et de leur donner les moyens de transformer leur milieu. Aucune entreprise privée n'est portée par autant de gens dévoués, qui s'identifient aussi fortement à une mission d'une telle humanité. Cet engagement est la grande force de notre réseau. Réussir à tirer parti de ces réalisations pour relancer l'évolution même du système est un grand défi pour un ministre de la Santé, mais c'est aussi une des clefs de la réussite.

Mais l'innovation vient aussi de partout dans le monde. Serions-nous parfois un peu lents à intégrer les avancées d'ailleurs dans l'organisation de nos services de santé ? Certains le pensent. Or, nous aurions non seulement avantage à mieux diffuser nos réussites et à valoriser davantage nos projets, mais aussi à nous assurer que les réussites d'ailleurs soient plus discutées chez nous. Soyons à l'affût et nos patients s'en porteront mieux.

... DANS LA CONTINUITÉ...

LES SOLUTIONS pour améliorer le système de santé existent. C'est vrai, je les ai rencontrées ! Elles sont partout, il suffit de les cueillir. À cet égard, nous sommes un peu comme des poissons qui ne savent pas ce qu'est l'eau : nous avons à notre disposition tous les moyens, sans toujours bien le voir, mais nous peinons à les articuler convenablement.

Soigner est un métier bien concret qui consiste à rencontrer une personne, à lui poser des questions, à l'examiner, à comprendre son problème clinique avec empathie et à lui proposer un plan de soins. Et c'est un métier qui demande du temps – si rare, mais indispensable – et de l'argent – parce que les soins coûtent cher. Et comme on ne traite plus aujourd'hui un infarctus comme au jour de mon inscription au registre, les soignants doivent pouvoir appuyer leurs choix sur une formation de qualité, une science efficace et de la recherche novatrice.

Il n'est pas toujours facile d'offrir une continuité de soins suffisante pour améliorer vraiment l'état de santé d'un patient, mais c'est absolument fondamental. Une bonne partie de ce qui va mal dans notre système de santé s'explique par une rupture de cette continuité, souvent en raison d'une difficulté d'accès à l'information clinique.

Il y a encore tant à faire pour rendre l'information médicale disponible partout, à tous les soignants et même aux patients.

Sauf que les ressources technologiques, qui sont là pour nous aider, ne doivent jamais constituer une fin en soi. C'est l'informatique qui doit se mettre au service de l'information clinique, elle-même au service des soignants. Et non l'inverse, comme on l'a vu souvent par le passé !

Il s'agit d'identifier et de corriger les ruptures dans la continuité : qui sont les patients à risque ? Où sont-ils actuellement ? Où est l'information clinique pertinente sur leur état ? Est-elle disponible pour tous les soignants ? Qui s'occupe d'eux aujourd'hui ? Est-on bien au courant des problèmes qui menacent leur santé ?

C'est le plus grand défi du système de santé. Ce qui n'a rien d'une lubie de théoricien : une bonne continuité signifie moins de visites à l'urgence, moins d'hospitalisations, une meilleure qualité de vie et un meilleur état de santé.

... POUR QUE LE BON PATIENT...

Q UI EST LE BON PATIENT ? Celui qu'on doit soigner. Toute
une trouvaille, n'est-ce pas ? Pour être plus précis, j'ajou-
terais que c'est le patient dont la qualité de vie sera amélio-
rée ou la vie prolongée par des soins. Cette vision simplifiée
montre bien la réalité des choses : par ses interventions, la
médecine prolonge la vie d'une personne malade (on peut
aussi dire qu'elle diminue la mortalité) ou permet au moins
d'atténuer ses symptômes. Mais avant de parler maladie, dis-
tinguons d'abord les malades de ceux que Nortin M. Hadler
appelle les « bien-portants[110] ».

Un bien-portant n'est pas un « bon patient ». Pas parce qu'il
n'est pas quelqu'un de sympathique ou d'agréable à soigner.
C'est seulement que le bien-portant n'a pas vraiment besoin de
soins – ou peut-être seulement de quelques conseils et d'un
peu de dépistage. Pourtant, une part significative du travail
médical est dévolue à des gens comme lui, qui n'en demandent
peut-être pas tant. C'est aussi un patient courtisé par les cliniques privées à but lucratif. Et pour cause : le bien-portant est
par définition celui qui n'a pas tellement besoin de nous et ne
coûte donc pas cher à « soigner ». Rien de tel pour demeurer
bien portant que de se tenir loin des bureaux de médecins !

Ce qui n'empêche pas le bien-portant de souffrir de « malaises » variés, surtout s'il présente des dispositions à l'hypocon-
drie, comme mon éditeur. Ces malaises, à ne pas confondre
avec les maladies, disparaissent d'eux-mêmes, mais peuvent

---

110. Le concept de « bien-portant » est développé par Nortin M. Hadler
dans son livre *Malades d'inquiétude, op. cit.*

revenir de temps en temps[111]. Jamais rien de bien sérieux : maux de ventre, insomnies, points dans la poitrine, maux de dos, fatigue, maux de tête, déprime passagère ou inconforts gastriques. Sans cause identifiable, bien entendu – « pour l'instant ! » répondront les hypocondriaques, convaincus que tout cela figurera un jour parmi les mystères résolus de la médecine et qu'alors, on verra bien qu'ils avaient raison de se plaindre !

Ces malaises ne laissent aucune séquelle et ne rendront pas malade – on peut toutefois se rendre soi-même malade à force de s'en inquiéter. Ils ne relèvent donc pas de la médecine, seulement de la vie. Et il n'est sûrement pas souhaitable de les médicaliser.

Pour ces malaises passagers, les tests et les soins sont inutiles. Nous dépensons pourtant argent et temps pour les « soigner », alors que se reposer, manger mieux, dormir davantage, rire de temps en temps, avoir une vie de couple agréable, un bon travail et prendre au besoin de l'acétaminophène suffisent à les soulager. Combien de temps et d'argent perdus en soins inutiles ? Nul ne le sait vraiment. D'ailleurs personne ne s'intéresse beaucoup à cette question. Ce qui est bien dommage, c'est une des plus importantes.

Les bien-portants inquiets pâtissent à la fois de leur ignorance et de leurs connaissances : ne comprenant pas la source de ces malaises courants, mais sans importance, ils sont démunis et ne peuvent passer à autre chose, bombardés par des informations intéressées voulant les convaincre que ces affec-

---

111. Cette question est également abordée par Nortin M. Hadler dans *Malades d'inquiétude*. Décidément, les positions iconoclastes de ce médecin m'inspirent beaucoup.

tions temporaires doivent être médicalisées. Ils ne savent plus à quel saint se vouer.

Je le constate chaque jour, les citoyens sont quelque peu analphabètes de leur propre corps, incapables de distinguer les manifestations normales de celles qui sont suspectes. Il y a donc tout un travail d'éducation à faire pour responsabiliser les bien-portants. Cette pédagogie devrait débuter à l'école secondaire.

Cela dit, le taux de mortalité de l'espèce humaine avoisinant malheureusement les 100 %, on peut être pessimiste et penser que le bien-portant le plus jovial n'est en réalité qu'un malade en sursis et un mort en devenir. Alors les bien-portants n'auraient-ils pas besoin d'un suivi médical plus serré, d'évaluations régulières, de prises de sang fréquentes, de tests plus ou moins compliqués – pour justement déceler d'hypothétiques maladies avant qu'elles ne leur soient fatales? La réponse est sans réserve: non! D'abord ça ne changera généralement rien, rares étant les maladies qu'on peut dépister et traiter assez efficacement à l'avance pour modifier le cours des choses. Attention, cela ne veut pas dire que les bien-portants ne doivent pas avoir de médecin de famille, mais simplement que la majorité des rencontres médicales, quand on ne souffre d'aucun réel problème de santé, ne changeront évidemment rien à leur état de... bonne santé!

Certains rêvent peut-être d'un réseau de soins où les ressources abondantes permettraient à chacun d'avoir constamment son médecin à ses côtés comme un ange gardien. Personnellement, je trouve cette vision cauchemardesque. Mais c'est une question de point de vue. Reste que la vie, c'est bien autre chose que l'absence de maladie. Du moins on l'espère.

Alors qui doit-on soigner? C'est simple: celui qui souffre d'une maladie traitable, si le traitement permet de la guérir, sinon d'en ralentir la progression, du moins d'en soulager les symptômes. Le «bon patient» est donc un malade réel, souffrant d'une maladie réelle, sur laquelle un traitement réel peut avoir un effet réel. Notons qu'il y a malheureusement des maladies pour lesquelles il n'existe aucun traitement efficace. Mais rassurez-vous: si la médecine ne peut en ralentir le cours, bien rares sont les symptômes qui ne peuvent être au moins partiellement soulagés.

On reviendra plus loin sur la question du dépistage, mais qui dit «symptômes» dit maladie qui dévoile sa présence, donc nous sommes déjà au-delà du dépistage, où il s'agit de trouver les maladies *avant* qu'elles ne se manifestent. Quand les symptômes deviennent préoccupants par leur durée, leur intensité ou leur qualité, donc au-delà d'un malaise passager, une démarche diagnostique et thérapeutique permettra peut-être d'en comprendre l'origine et de leur apporter une solution. La gravité de la maladie déterminera l'importance d'agir, qui varie évidemment d'un problème à l'autre.

Le «bon patient», ce malade qu'on peut soigner, devrait avoir priorité sur le bien-portant inquiet. Comme à l'urgence, où les personnes sont d'abord «triées», c'est-à-dire classées par gravité de symptômes, puis évaluées par le médecin en fonction de cette gravité présumée, système imparfait mais qui permet d'éviter que les rhumes ne passent avant les infarctus. Dans un contexte où les ressources ne sont pas infinies, il est essentiel d'accorder la priorité à ceux qui en ont le plus besoin. Cela présuppose un énorme travail pour améliorer l'accès au médecin pour ceux qui en ont le plus besoin. Comment faire?

Déléguer d'abord quantité de rendez-vous à d'autres professionnels de la santé. Puis, élaguer les gestes et les rencontres inutiles. Voilà qui permettrait de dégager le temps requis pour mieux s'occuper des malades prioritaires.

Je ne prétends pas que la majorité des visites médicales soient inutiles, bien au contraire. Mais je reste persuadé qu'on y perd une quantité de temps significative qu'on pourrait réinvestir dans les soins aux vrais malades. Imaginez qu'on puisse éliminer de 10 à 20 % de visites inutiles, on s'occuperait dès lors mieux des malades chroniques, des personnes âgées en perte d'autonomie et de ceux qui passent trop de temps à l'urgence ou dans les lits d'hôpitaux, et tous ces patients s'en porteraient mieux. Voilà un défi concret pour les prochaines années.

... REÇOIVE DU BON SOIGNANT...

ON PEUT ENSUITE se demander qui est le *bon* soignant. Concentrons-nous sur la première ligne, qui se situe dans la communauté, et sur la seconde, à l'hôpital, où se concentre la majorité des coûts.

Écartons d'emblée la mauvaise réponse : le bon soignant n'est pas un médecin surqualifié, ayant une formation et une expertise pointues. Les exemples foisonnent pourtant : nombreux sont par exemple les pédiatres qui suivent beaucoup d'enfants en bonne santé. Certes, les parents ont besoin de leurs conseils, ils s'inquiètent facilement et sont décontenancés face à l'imprévu. Mais est-il pour autant souhaitable que des spécialistes formés durant dix ans consacrent la majorité de leur temps et de leur savoir-faire formidable au suivi d'enfants qui n'ont pas besoin d'eux ? Dans un monde idéal, pourquoi pas ? Mais dans le monde réel, où il est difficile d'avoir accès au pédiatre en cas de problème grave, la réponse est évidente : non. On me répondra que mes remarques sont vaines puisqu'il n'y a pas de médecins de famille disponibles pour suivre ces enfants. Je répondrai ceci : une chose à la fois. Commençons par voir ce qui est souhaitable, on reviendra plus tard sur la question de la disponibilité des médecins de famille. D'autres professionnels, seuls ou en équipes multidisciplinaires, pourraient d'ailleurs s'occuper du suivi des enfants « normaux », et donc surveiller leur croissance et leur développement psychomoteur, répondre aux questions des parents, faire le suivi de la vaccination et procéder à certains dépistages. Une infirmière praticienne de première ligne pourrait très bien accomplir la majorité de ces tâches. On me répondra de nouveau qu'il n'y en a pas. Mais commençons par savoir ce que nous souhaitons, ensuite on travaillera à le faire advenir. Pourquoi les infirmières praticiennes de première ligne sont-elles répandues aux États-Unis et au Canada anglais alors qu'on commence tout juste à les former au Québec? Qu'attendons-nous? On a pourtant déjà démontré que la qualité du travail de première ligne est meilleure là où de telles approches, bien coordonnées et multidisciplinaires, sont en place[112].

D'autres exemples? Les gynécologues, qui font les tests Pap de dépistage du cancer du col de l'utérus, prescrivent des anovulants aux jeunes femmes et assistent des accouchements normaux. Les médecins de famille, les infirmières praticiennes et les sages-femmes pourraient pourtant s'en occuper. Je sais, il n'y en a pas non plus. Alors arrangeons-nous au moins pour qu'un jour pas trop lointain, il y en ait, si c'est ce qu'on veut! Au fait, ce n'est pas tout à fait juste: après des décennies de résistance de la part des médecins, les professions d'infirmière praticienne et de sage-femme se développent au Québec, mais trop lentement et parfois sans la vision requise pour assurer leur pleine intégration dans les équipes de soins.

Il y a beaucoup d'autres exemples d'un mauvais usage des ressources médicales spécialisées. On dirait que notre système de santé s'est construit en prenant soin de mal utiliser ses médecins! Par exemple: les psychiatres qui font des suivis de première ligne, alors que les médecins de famille pourraient remplir ce rôle; les orthopédistes qui font des expertises pour la

---

112. Marie-Dominique Beaulieu, «Facteurs organisationnels qui soutiennent des pratiques cliniques de qualité en première ligne. Résultats d'une étude québécoise», Université de Montréal, IRSC, juin 2012.

CSST et traitent des patients pour des maux de dos et d'autres problèmes ; les dermatologues qui s'occupent d'acné simple ; les néphrologues qui font le suivi des hypertendus ; les cardiologues qui suivent trop longtemps des cardiaques stables, etc. Il y en a partout, dans toutes les disciplines ! Est-ce grave ? Dans un monde idéal, non. Mais dans le monde réel, bien sûr : tout cela se fait au détriment des malades qui auraient vraiment besoin de ces expertises, en bureau ou à l'hôpital.

On objectera peut-être qu'il est difficile, pour un médecin de famille, de rester à jour dans un si grand nombre de disciplines. C'est exact. Cette profession est d'autant plus admirable qu'elle combine des connaissances énormes à des compétences cliniques variées, une vision d'ensemble à un grand sens des détails, un don pour la coordination à une capacité de soutenir des familles éprouvées. Tout un métier ! Mais si les connaissances sont aussi ardues à acquérir qu'à maintenir, peut-être doit-on justement allonger la résidence de médecine familiale, comme c'est le cas ailleurs dans le monde ? L'intégration en cours des équipes de soins au sein de GMF constitue aussi un pas dans la bonne direction : chacun peut y compléter son expertise grâce à celle des autres membres de l'équipe, partager les tâches et, surtout, assurer l'intégration des soins complexes dont le médecin de famille demeure le maître d'œuvre.

Maintenant, passons à la seconde ligne, celle de nos hôpitaux. Plusieurs jugent que nos médecins omnipraticiens sont trop lourdement accaparés par leurs tâches hospitalières. Peut-être faudra-t-il faire des choix. Tout patient hospitalisé doit être sous la responsabilité d'un médecin. Quel médecin ? Dans les hôpitaux communautaires, ce sont essentiellement les omnipraticiens. Dans les hôpitaux universitaires, ce sont plutôt les spécialistes (cardiologues, gastro-entérologues, neurologues, par exemple).

Il y a un double problème, exposé dans le chapitre « Trouver le médecin » : non seulement les omnipraticiens sont accaparés par les tâches hospitalières, mais vraisemblablement, dans ces milieux, les spécialistes ont en contrepartie déserté leur rôle d'hospitalisation. Alors, on fait quoi ? Qui doit hospitaliser, en fonction du problème, du type d'hôpital (universitaire ou non) et du lieu (ville ou région) ? J'ai rarement lu une réflexion critique sur ces questions pourtant centrales.

Dans un cas comme dans l'autre, il semble rester peu de place pour les internistes[113], médecins formés en spécialité pour traiter une bonne part des problèmes complexes qui nécessitent une approche « transversale », intervenant aussi bien en cardiologie qu'en neurologie ou en gastro-entérologie, pour ne donner que ces exemples. Il s'agit malheureusement d'une spécialité mésestimée ayant perdu sa place dans les hôpitaux au fil des décennies. Il faut au contraire lui redonner un rôle central, car elle est essentielle au bon fonctionnement des hôpitaux, tant universitaires que communautaires. Dans certains établissements du milieu universitaire, surtout anglophones, les internistes jouent d'ailleurs un rôle de chef d'orchestre à l'hôpital et dans les unités de soins, semblable à celui joué par l'omnipraticien en première ligne. Mais ils développent souvent des niches de pratiques spécifiques, parfois techniques, et s'y investissent au détriment d'une approche transversale où ils seraient plus utiles.

---

113. On dit aussi « spécialistes en médecine interne », tandis que les spécialités comme la gastro-entérologie, la cardiologie et la neurologie correspondent à une spécialisation des internistes dans un domaine donné.

Tout cela met en lumière la notion très importante de *hiérar-chisation* des soins, autant en première ligne qu'à l'hôpital : qui peut et qui doit poser tels ou tels actes médicaux ? Il est aussi aberrant que des gynécologues, des pédiatres ou des psychia-tres en soient venus à faire le travail des médecins de famille, que d'avoir freiné l'arrivée de nouvelles professions, comme les sages-femmes, qui ont leur juste place dans le réseau, ou d'avoir insuffisamment valorisé la profession d'interniste général.

Enfin, il y a la question du nombre. Nous avons beaucoup moins de médecins au Canada que dans les pays européens[114]. Un rattrapage est en cours et il est souhaitable. Mais il faut aussi s'interroger sur le rôle que nous souhaitons voir jouer aux médecins.

Tout un travail de réflexion reste à faire autour de cette ques-tion simple : qui est le *bon* soignant ? Les réponses permettront de jeter les bases d'une planification qui manque aujourd'hui cruellement.

---

114. «Des services publics pour la population ontarienne : cap sur la viabilité et l'excellence», Commission de la réforme des services publics de l'Ontario, 2012.

... DES SOINS PERTINENTS...

Tout ça pour donner quels soins ? Les *bons* soins, c'est évident ! Ce n'est pas si difficile à définir : ces bons soins prolongent la vie ou améliorent la qualité de cette vie, comme je l'ai déjà expliqué.

Dans la première catégorie, on retrouve les gestes médicaux qui diminuent la mortalité. Exemple : après un infarctus aigu (crise cardiaque), la prise d'aspirine et la prise de statines (médicaments contre le cholestérol) diminuent la mortalité. Mais aucun de ces médicaments ne diminue la mortalité chez les patients qui n'ont jamais fait d'infarctus. Autre exemple : le dépistage du cancer du col de l'utérus (test Pap) diminue la mortalité, mais pas celui du cancer du poumon ni de la prostate.

Dans la seconde catégorie, on trouve les gestes médicaux qui améliorent la qualité de vie, mais sans la prolonger, soit parce que la maladie n'est pas assez grave, soit parce que le traitement n'a aucun effet démontré sur la survie. Si on prend les problèmes de maux de dos, on sera surpris qu'il n'existe aucune preuve scientifique que les interventions courantes (physiothérapie, infiltrations, chirurgies, etc.) améliorent les symptômes des patients ; en réalité, la seule « intervention » dont l'efficacité est prouvée est... la marche régulière !

Toujours dans la catégorie des douleurs, l'acupuncture permet effectivement d'en contrôler certaines mieux qu'un placebo, mais une « fausse » acupuncture aurait presque le même effet qu'une « vraie » ! Et on pourrait donner une mention spéciale à tous ces produits qui encombrent les étagères des pharmacies. Par contre, la prise d'antibiotique pour une « bronchite » virale non seulement ne changera rien aux symptômes, mais pourrait même en augmenter les complications.

En général, on sait assez bien ce qui fonctionne et ce qui ne fonctionne pas. Pour le reste, on « pense que ». Ça devient alors une question d'opinion. Le médecin, le département, l'hôpital, la société savante, le gouvernement même, souvent, devant l'incertitude, « pensent que ». Et on fait avec. Mais de plus en plus d'organisations scientifiques internationales statuent sur ce qui fonctionne ou ne fonctionne pas, et les meilleurs avis proviennent de groupes libres de tout conflit d'intérêts avec les pharmaceutiques ou les fabricants de matériel médical. Le groupe Cochrane, récemment reconnu officiellement par l'OMS, est l'expression la plus achevée de la pratique médicale basée sur des preuves scientifiques. Fruit de la libre collaboration de plusieurs dizaines de milliers de scientifiques, c'est une source d'information essentielle pour les soignants, mais aussi pour le grand public – malheureusement disponible uniquement en anglais[115].

On parle ici de *pertinence* des soins, ce qu'on pourrait définir de façon bien compliquée, mais dont le concept fondamental est simple : un geste médical est *pertinent* quand il prolonge la vie d'un patient ou l'aide à vivre mieux.

Certains médecins nuisent d'ailleurs à l'idée de dépistage par la répétition d'examens inutiles qui ne procurent que l'illusion rassurante de bien prendre soin de soi. Une perte de temps pour les personnes et une perte d'argent pour le système de santé. On semble même commencer à intégrer dans la pratique publique

---

115. Toute la production scientifique de l'organisation Cochrane se retrouve sur son site web : www.cochrane.org

le vocabulaire absurde des «bilans de santé» promu par la médecine à but lucratif. La pression est forte pour importer ces mirages dans le système public, exemple d'émulation malsaine du privé. Ces dérives façonnent à la fois les attentes des bien-portants et celles des médecins: le «bon docteur» est de plus en plus, dans l'imaginaire, celui qui fait passer beaucoup de tests et de prises de sang – alors qu'en réalité, c'est exactement le contraire!

Si les médecins étaient parfaits, si les chercheurs évitaient toujours les conflits d'intérêts, si les journaux médicaux demeuraient indépendants, si les fournisseurs de matériel brillaient par leur honnêteté intellectuelle, bref si *personne* ne cherchait à profiter des malades, tout irait bien, nous n'aurions même pas besoin d'en parler, les tests demandés seraient tous pertinents, les choix de traitements impeccables et les résultats, optimaux. «Tout irait pour le mieux dans le meilleur des mondes possibles», pour paraphraser Leibniz.

Mais c'est de moins en moins le cas: les médecins sont humains, souvent trop humains, les chercheurs sont sous influence, les journaux médicaux survivent grâce à la publicité des pharmaceutiques, les fournisseurs ne sont jamais désintéressés et nombreux sont ceux dont le profit est l'unique objectif. Conséquence, les pratiques médicales sont loin d'être toujours pertinentes. On effectue même des procédures chirurgicales en excès des recommandations[116].

Mais comment rendre la médecine plus pertinente? Comment favoriser l'adhésion aux guides de pratique, notamment

---

116. «Des services publics pour la population ontarienne: cap sur la viabilité et l'excellence», *op. cit.*

ceux de la prévention, parfois beaucoup plus raisonnables que les médecins qui les appliquent? Et comment y arriver sans que les médecins, jaloux de leur autonomie professionnelle, ne se rebiffent? Tout un défi. La meilleure façon de le faire, c'est d'en convaincre les médecins eux-mêmes – c'est même la seule.

La bonne formation initiale de nos médecins est un solide point de départ. Mais ensuite? En sommes-nous rendus à la recertification périodique, comme cela se fait notamment aux États-Unis? Pourquoi pas? Il faut ensuite donner aux médecins (et aux autres professionnels de la santé) les moyens de mieux connaître leurs propres pratiques et celle de leurs pairs: comment sont suivis les patients? Que leur arrive-t-il? Qui a eu des complications? Les prises de sang ont-elles servi à quelque chose? Les tests demandés étaient-ils requis? Les guides de prévention ont-ils été respectés? Je n'ai pas de réponse magique, mais il est clair que nous avons un immense bout de chemin à faire de ce côté, en commençant par développer une meilleure connaissance de ce qui se passe sur le terrain. Nous disposons heureusement de plus en plus d'outils informationnels pour aider à comprendre cette réalité.

Il ne s'agit pas de développer une culture maniaque du contrôle, mais est-il normal, au nom du respect de l'autonomie des médecins et des autres professionnels de la santé, que l'on dépense beaucoup pour des soins qui n'apportent rien de bon au patient et qui peuvent même lui causer du tort? Non, bien sûr. Des organisations, comme Kaiser Permanente aux États-Unis, invitent leurs médecins à suivre les guides des meilleures pratiques, afin d'atteindre la plus haute qualité de prestation possible. Ils évaluent ensuite les effets de leur application et interviennent au besoin pour permettre à chacun de s'en rapprocher.

Alors comment atteindre chez nous un tel de niveau de qualité? À l'hôpital, nos médecins bénéficient certes d'un environnement professionnel et d'une culture de la qualité, encore bien imparfaite à mon avis, mais tout de même plus développée que dans les bureaux privés. Comment exporter en première ligne cette culture de l'évaluation? Amener les médecins à se regrouper est une étape importante, puisque c'est dans les groupes de pairs qu'on peut faire la promotion de la qualité.

Des communications régulières entre médecins requérants et médecins consultants favorisent également l'amélioration de la pertinence : certains départements d'imagerie utilisent une méthode simple, mais efficace, de priorisation des tests diagnostiques. Un des radiologistes regarde régulièrement les demandes reçues et établit la liste des priorités. Il contacte ensuite au besoin les médecins ayant demandé les tests pour discuter de leur pertinence et aider à diminuer le nombre d'examens non pertinents, et pour s'assurer enfin que les tests soient réalisés dans les délais appropriés. Les médecins requérants, pour leur part, doivent fournir tous les renseignements cliniques requis pour permettre au radiologiste de prendre une décision éclairée.

Le Collège des médecins n'a sûrement pas les moyens d'agir à grande échelle, sauf pour les cas d'incompétence. Peut-être pourrait-on alors donner un rôle aux départements régionaux de médecine générale, déjà établis dans toutes les régions et constitués de pairs. Ces organismes pourraient jouer un rôle semblable à celui du département de médecine générale dans nos hôpitaux.

Rappelons que toute décision médicale doit aussi intégrer le point de vue du patient, qui doit y participer de la manière la plus éclairée possible. On ne peut substituer le patient au médecin, cela va de soi. Mais le médecin doit prendre le temps de bien discuter avec son patient. Cela, je pense que nous le faisons de mieux en mieux. Il reste néanmoins encore du chemin à faire de ce côté, notamment à l'hôpital. Une prestation de qualité passe en effet nécessairement par la participation la plus active possible du patient aux décisions le concernant.

Les ordres professionnels devraient aussi évaluer la pertinence des soins que leurs membres proposent, sur des bases solides et scientifiques, parce que cela fait aussi partie de leur rôle de protection du public. Je n'ai rien contre l'effet placebo, mais une profession ne peut pas servir de rempart commode derrière lequel on permet tout et son contraire.

L'impact des soins non pertinents ne se mesure pas seulement en perte de temps et d'argent : plus les soins sont complexes, plus les conséquences sont graves. Il y a des coûts matériels et surtout humains associés aux soins non pertinents : hospitalisations inutiles, erreurs de médicaments, suivis de tests anormaux, retours à l'urgence pour des complications ou séjours prolongés pour des investigations inutiles accroissant le risque de perte d'autonomie. Sans tomber dans le piège des indicateurs de performance simplistes ou du mirage du financement par activité, on sait qu'on peut maintenant développer des indicateurs sophistiqués pour évaluer plus globalement la « performance clinique » : a-t-on amélioré ou non la santé des patients ? Les changements ont-ils eu un impact sur les complications, par exemple sur les infections nosocomiales ? A-t-on réussi à diminuer les retours imprévus à l'urgence ?

A-t-on amélioré la qualité de vie des malades? A-t-on détecté précocement la détérioration de la santé? Tout cela est aujourd'hui possible, pour peu qu'on utilise les bons outils, qu'on demeure prudent dans l'interprétation des résultats et qu'on accepte de partager ces informations utiles à tous.

On conviendra que c'est là un vaste programme, mais combien prometteur, et qui nous permettrait non seulement de dégager des marges de manœuvre, mais également et surtout d'améliorer les soins prodigués.

… ET DES MÉDICAMENTS UTILES…

L E MÉDECIN devrait toujours prescrire le bon médicament, choisi en fonction du meilleur intérêt de son patient. Ça paraît évident. Pourtant, on est loin du compte.

Pour bien réfléchir à cette question, il faut prendre un peu de distance. Pas avec le sujet, mais avec les compagnies pharmaceutiques. Les médecins devraient se dégager de l'influence indue qu'elles exercent avec leur arsenal de marketing terriblement efficace. Il serait d'ailleurs très facile de régler ce problème. Le resserrement récent des règles touchant les relations avec les pharmaceutiques, afin d'y remettre un peu d'éthique, est le bienvenu, mais demeure insuffisant : l'industrie dispose de ressources énormes pour s'adapter à ces changements et conserver intacte sa capacité d'influence.

Son arme la plus redoutable, c'est une connaissance précise des habitudes de prescription de chaque médecin. Des firmes achètent ces informations aux pharmaciens propriétaires, puis les revendent aux pharmaceutiques, permettant à celles-ci de déployer un marketing très ciblé. Un peu comme si chaque compagnie disposait en temps réel d'une liste détaillée de vos habitudes d'achat. C'est vrai, le médecin peut s'en soustraire : il n'a qu'à remplir un formulaire, une démarche toute simple, pour faire retirer son nom des listes. Mais personne ne le fait, évidemment. Il faut donc renverser le fardeau de la tâche : disposer des habitudes de prescription d'un médecin devrait être interdit, sauf autorisation formelle de l'intéressé.

Ensuite, il faudrait proscrire la présence des représentants des pharmaceutiques dans les hôpitaux. Cela couperait court à un jeu d'influence souterrain qui se fait rarement dans l'intérêt du patient et permettrait de briser les liens incestueux, consolidés au fil des ans, avec ces vendeurs d'autant plus envahissants qu'ils sont sympathiques.

Cette distance éthique, on pourrait l'établir encore plus facilement pour les étudiants en médecine et les résidents. Il suffirait qu'il n'y ait plus de contact avec les représentants durant la formation. Cette mesure, qui n'a rien de révolutionnaire, a été implantée avec succès sur plusieurs campus de médecine aux États-Unis. On éviterait ainsi, chez les médecins en formation, le développement d'une culture délétère du « tout est gratuit » : repas, inscriptions à des congrès, manuels, etc. Même les stylos. Les médecins patrons dans les hôpitaux ont bien les moyens de payer des sandwichs pas de croûte et quelques stylos à leurs pauvres étudiants !

Plus complexes sont les problèmes engendrés par le programme mixte d'assurance médicaments (privé-public), dont le Québec s'est doté en 1997 et que j'ai évoqué plus haut. Je souscris tout à fait à l'analyse effectuée par le chercheur Marc-André Gagnon et d'autres sur le sujet : il est temps de se doter d'un régime public et universel d'assurance médicaments, qui s'insèrerait dans une révision exhaustive des politiques du médicament et de l'aide aux pharmaceutiques, l'un n'allant pas sans l'autre[117]. Une couverture entièrement publique d'assurance médicaments pourrait permettre une économie globale de 3 milliards de dollars par année au Québec.

La majorité des nouveaux médicaments coûtent bien cher à leur sortie. Pourtant, ils ne sont souvent que la copie d'an-

---

117. Marc-André Gagnon, « Le régime québécois de l'assurance médicaments hybride. Un modèle à la dérive ? », *op. cit.*

ciens médicaments, dont ils se distinguent par des modifications moléculaires mineures. Il faut donc évaluer avec impartialité la nécessité de les introduire sur le marché et dans nos guides de pratique. On touche ici de nouveau au concept de *pertinence* des traitements. A-t-on les moyens de payer cher pour des médicaments pharmacologiquement similaires aux anciens, mieux connus, éprouvés et généralement moins coûteux ? Je ne pense pas. Un même esprit critique devrait s'exercer à l'égard de toute nouvelle technique ou fourniture médicale afin de s'assurer qu'elle constitue bien un gain pour le patient.

Un des problèmes de fond reste la privatisation de la recherche, qui s'est accentuée au fil des décennies. De moins en moins financée par les fonds publics et de plus en plus par les pharmaceutiques, la recherche s'est mise graduellement au service de ces intérêts qui la nourrissent et des détenteurs de brevets. Sans remettre en question l'intégrité des chercheurs, il n'en demeure pas moins que celui qui les finance contrôle souvent leurs grandes orientations, les méthodes utilisées et la diffusion des résultats. À terme, le public y perd, puisque des questions importantes ne sont jamais posées et que d'autres, inutiles, envahissent la recherche et le développement. Un retour au financement public de la recherche serait donc à espérer. Mais je doute qu'on puisse renverser ce mouvement qui déborde largement les frontières de la recherche médicale.

Reste la question des pénuries de médicaments, dont nos patients sont de plus en plus souvent victimes. L'idée d'établir un producteur public, qui préviendrait les ruptures de stock, n'apparaît plus comme une hérésie digne de la Corée du Nord : certains pays disposent d'un tel producteur public, de taille modeste, mais qui leur permet néanmoins de se libérer de la tutelle des pharmaceutiques et des conséquences délétères de ces pénuries. Il faut lire à cet égard le travail de synthèse « Une nouvelle politique pharmaceutique publique pour le Québec[118] » et le projet de loi déposé par Québec solidaire[119]. Ils méritent une étude approfondie et pourraient marquer le début d'une action concrète de grande portée : la création de Pharma-Québec et l'adoption d'un régime entièrement public d'assurance médicaments.

---

118. www.quebecsolidaire.net/sites/www.quebecsolidaire.net/files/PolitiquePharma-QS-Web.pdf

119. www.assnat.qc.ca/fr/travaux-parlementaires/projets-loi/projet-loi-598-39-2.html

… AU MOMENT INDIQUÉ…

O N NE RÉUSSIT pas toujours à prodiguer les soins au bon moment. Bien entendu, pour les affections graves et urgentes, le système réagit promptement. Mais on pourrait faire beaucoup mieux pour tout ce qui peut attendre… Et surtout pour ce qui n'aurait pas dû attendre et qu'on détecte trop tard.

Mon grand-père se déplaçait pour soigner à domicile les gens qui n'allaient pas bien ou il les recevait à son cabinet, établissant un lien direct entre symptômes, évaluation médicale et traitement. Avec l'évolution de la médecine, le dépistage et la prévention se sont développés, permettant de réels progrès. Ces pratiques sont toutefois venues remplacer l'approche traditionnelle du médecin de famille : répondre aux besoins. Il s'ensuit qu'on voit désormais son médecin de famille lorsque tout va bien, mais qu'on a de la difficulté à le rencontrer lorsqu'on est malade !

Ce curieux paradoxe a deux effets évidents : quand ça va mal, les gens vont à l'urgence ou bien voient un médecin qui ne les connaît pas. Pire encore, il arrive qu'ils ne consultent pas en temps opportun. Pour les patients affectés par des maladies chroniques, le recours à l'urgence n'est pourtant pas idéal, rencontrer un médecin inconnu pose aussi problème et ne pas consulter peut s'avérer catastrophique. La meilleure solution, voir son médecin, est souvent impossible. Pour y arriver, il faut que les médecins se ménagent certaines périodes de disponibilité pour recevoir les patients sur demande.

On pourrait y arriver, si on en faisait une priorité. D'abord en limitant les rendez-vous moins utiles, ce dont j'ai déjà parlé.

Ce n'est pas toujours une nécessité, pour un « bien-portant », de rencontrer son médecin de famille sur une base régulière. À l'exception des périodes où certains dépistages sont indiqués, il est plus pertinent d'aller voir son médecin quand on est malade. Personne, à ma connaissance, n'a évalué la quantité de rendez-vous inutiles qu'on pourrait ainsi éviter, que je soupçonne élevée.

Mais on devrait surtout revoir la manière de les organiser. Des techniques de gestion novatrices ont maintenant fait leurs preuves. Par exemple, le Dr Michel Robitaille, de la Clinique médicale des Promenades de Beauport, a introduit de nouvelles méthodes de prise de rendez-vous rapide, qu'ont adoptées ensuite cinq de ses collègues[120]. Alors que dans les cliniques privées du Dr Marc Lacroix, on se vante d'offrir un accès miraculeux en moins de 48 heures aux 500 patients suivis par le même médecin, la clientèle de 1 600 patients du Dr Robitaille jouit de la même qualité d'accès dans le réseau public : le patient qui le désire obtient un rendez-vous dans les 24 heures. La méthode porte même un nom, « l'accès avancé[121] ». Elle permet en gros de rencontrer les patients quand ils en ont besoin et non quand ça fait l'affaire du médecin. Il s'agit donc d'inverser les ratios habituels : la majorité des rendez-vous sont fixés moins de 24 à 48 heures à l'avance, pour répondre aux vrais besoins, alors que trois rendez-vous par jour sont consacrés aux suivis. Comme le faisait mon grand-père. Le Dr Robitaille met à contribution

---

120. www.lapresse.ca/le-soleil/actualites/sante/201204/21/01-4517719-medecin-de-famille-un-rendez-vous-en-moins-de-24-heures.php

121. On dit *advanced access* chez les Américains et nos amis du reste du Canada. Pour des explications complètes sur ces méthodes : www.gov.mb.ca/health/primarycare/advancedaccess.html

d'autres professionnels en déléguant beaucoup de responsabilités aux infirmières, particulièrement quand survient un débordement de clientèle. Le principe est de ne jamais reporter un rendez-vous trop loin. Le médecin y trouve même un avantage pécuniaire puisque moins de patients annulent leur rendez-vous. Apparemment, cela réduirait le nombre de tests et d'examens complémentaires. La FMOQ travaille actuellement à implanter cette méthode qui pourrait révolutionner l'accès aux médecins de famille. Une excellente nouvelle.

Prodiguer des soins au bon moment passe aussi par une meilleure gestion des listes d'attente pour les examens. Pour le moment, nous sommes loin du compte, des patients étant encore inscrits sur plusieurs listes à la fois. On sait que le temps d'attente varie beaucoup d'un milieu à l'autre. Mais il est difficile d'avoir l'heure juste, de connaître par exemple les délais anticipés et s'il y a des disponibilités ailleurs quand une clinique d'imagerie déborde. Il importe aussi de réintégrer la radiologie privée dans la couverture publique des échographies, des scanners et des résonances magnétiques pour diminuer globalement l'attente. Mais il faut également réfléchir aux conséquences de nouveaux programmes : est-ce bien avisé d'instaurer un programme de dépistage du cancer du côlon par colonoscopie, quand les délais pour ces examens sont déjà beaucoup plus longs au Québec que dans les autres provinces ? D'autant que des méthodes plus simples, comme le dépistage du sang dans les selles, ont amplement fait la preuve de leur efficacité.

Mais le plus important pour soigner « au bon moment », ce qui a le plus d'impact sur les coûts, c'est d'intervenir avant que l'état d'un malade chronique ne se détériore. Cela permet d'éviter le recours à l'urgence. Une infirmière peut prévenir l'aggravation clinique par une intervention précoce. Il faut donc identifier les malades qui passent beaucoup de temps à l'hôpital et les mettre en relation avec des infirmières aptes à s'occuper d'eux, le tout en coordination avec les autres membres de l'équipe de soins, notamment le médecin de famille. Bref, il faut les prendre en charge de manière continue. C'est là chose parfaitement réalisable, comme nous le verrons plus loin.

... ET DANS LE LIEU APPROPRIÉ...

L E MEILLEUR ENDROIT pour soigner un patient, c'est là où les soins appropriés coûtent le moins cher et sont accessibles. Dans bien des cas, c'est le cabinet du médecin, dans d'autres, les soins intensifs d'un hôpital universitaire et, entre les deux, dans une diversité de lieux possibles. C'est un fait avéré que beaucoup de patients ne sont pas soignés « à la bonne place ». Ils se retrouvent trop souvent à l'hôpital, dans un environnement inutilement coûteux et qui comporte son lot de risques, par exemple la transmission d'infections nosocomiales.

On le sait, l'organisation de notre système de santé est centrée sur l'hôpital : tout mène à lui et tout part de lui, ce qui explique en partie nos records internationaux de séjours à l'urgence. Mais ce qui convient pour assurer des soins de courte durée est beaucoup moins approprié pour traiter des maladies chroniques. Notre système de santé, conçu il y a quelques décennies pour traiter les affections aiguës, doit maintenant apprendre à mieux s'occuper des patients chroniques.

La priorité absolue est le maintien dans leur milieu de vie des personnes âgées fragiles. Ce qui suppose de coordonner les soins et les services afin de prévenir la détérioration de leur état, de tout faire pour éviter une hospitalisation et, quand on ne peut l'éviter, de planifier le plus tôt possible leur retour dans cet environnement souhaitable et sécuritaire. Il faut aussi développer, ce qui manque chez nous, ce qu'on appelle des ressources intermédiaires. Entre le lit d'hôpital et le domicile, elles conviennent aux patients qui n'ont plus besoin de soins complexes, mais qui ne peuvent retourner immédiatement à la maison ; elles permettent de donner un congé plus rapide de l'hôpital. Leur coût est raisonnable en comparaison des fortunes dépensées inutilement dans les hôpitaux.

Mais tout ça reste assez théorique, puisque le simple déplacement d'un point à l'autre du réseau pour avoir accès aux soins ressemble parfois au parcours du combattant. Pour avoir accompagné des proches au cours d'épisodes de soins pas très complexes, j'ose à peine imaginer comment un novice peut s'y retrouver : qui appeler ? Comment prendre rendez-vous ? Où obtenir ses résultats ? Etc. Problèmes simples en apparence, mais parfois impossibles à résoudre. Heureusement, on commence à penser davantage aux patients et à leurs familles pour les aider à se débrouiller dans ce dédale, notamment avec des numéros uniques et des « guichets de service » permettant d'orienter rapidement les demandes. Il est urgent de généraliser ces modes de fonctionnement, afin que chacun puisse s'y retrouver.

Dans les grandes villes, et particulièrement à Montréal, les « trajectoires » de soins sont d'ailleurs parfois si complexes qu'on ne peut s'y retrouver. Est-il possible de parler d'intégration et de coordination dans un tel contexte ? Pourtant, comme le souligne le gériatre Réjean Hébert : « L'un des moyens éprouvés pour améliorer l'efficience du système de santé est la réduction de la duplication et de la fragmentation des services et l'amélioration de la continuité des soins[122]. » Cette question est à mon avis pressante à Montréal, où les patients sont pris en charge à la va-comme-je-te-pousse. Combien de fois ai-je évalué un patient suivi à l'Institut de cardiologie pour son

---

122. Réjean Hébert, « Les défis du vieillissement au Canada », *Gérontologie et société*, n° 107, décembre 2003.

cœur, à Maisonneuve-Rosemont pour son cancer, à Royal-Victoria pour son foie, qui vient de passer un examen de médecine nucléaire à Santa-Cabrini et attend un rendez-vous en pneumologie à Notre-Dame? J'en vois tous les jours!

Il faudrait mieux s'outiller pour comprendre ces trajectoires complexes d'une manière plus fiable que sur la base des souvenirs du patient, d'un chassé-croisé de fax ou de copies partielles de dossier voyageant par enveloppes. Pouvoir partager l'information entre les établissements serait déjà un bon point de départ. Les technologies peuvent nous aider, d'abord en constituant un dossier médical accessible et modifiable en temps réel par tous les soignants d'une région; ensuite, en constituant des bases de données cliniques permettant de mieux connaître nos patients, leur état de santé et surtout leur trajectoire dans le réseau; enfin, des projets récents ont montré que des techniques de dépistage à domicile, combinées à de la formation et à l'«entraînement» des patients eux-mêmes, permettent de détecter précocement la détérioration de leur état et de diminuer le recours à l'urgence et à l'hospitalisation.

Malheureusement, pour des raisons de confidentialité, il est encore difficile de partager l'information clinique entre les établissements. Ces restrictions reposent sur des craintes légitimes, mais devraient être réévaluées en raison des besoins criants d'intégration et de coordination des soins. Si nous voulons faire face au défi du vieillissement de la population et à la croissance des maladies chroniques qui s'ensuit, il est impératif d'y parvenir.

Les personnes âgées malades ont en effet besoin de soins coordonnés, offerts par des équipes multidisciplinaires dans un contexte de proximité. N'est-il pas absurde et inhumain de les trimballer d'un bout à l'autre de la ville au gré de la disponibilité des civières d'urgence? Répartir leurs soins entre deux, trois ou cinq hôpitaux est sûrement ce qu'on peut faire de pire. La chose a été assez peu étudiée, mais je suis persuadé, comme urgentologue, que la fragmentation des trajectoires de soins explique une part de la congestion des urgences montréalaises. Pourra-t-on un jour appliquer à Montréal une solution jadis proposée par l'urgentologue Marcel Boucher, qui dirigeait alors les services médicaux d'Urgences-santé: orienter de préférence les patients vers l'hôpital de leur quartier, de manière à assurer leur suivi médical par des soignants déjà au courant de leur dossier et à même de les diriger localement vers les meilleures ressources? Il est temps d'y réfléchir de nouveau, comme à toutes les mesures qui, surtout dans les milieux urbains, permettraient de donner plus de cohérence aux soins.

... EN VISANT LE BON NIVEAU DE SOINS...

QUEL EST LE BON niveau de soins ? C'est une question fondamentale, trop souvent éludée. Il est parfois plus facile
de passer outre et de soigner sans d'abord s'enquérir de ce que
souhaite réellement le patient ou, à défaut, son entourage. Les
patients manifestent à cet égard trop de déférence envers leur
médecin, s'en remettant à son jugement, parfois sans poser de
questions.

Ce sont pourtant des questions cruciales : qu'est-ce que je
veux, en tant que patient ? Vivre davantage ? Si oui, comment
vais-je vivre et que vais-je endurer ? Est-ce que je veux qu'on
m'opère pour cette tumeur ? À quoi ressemblera ma convales-
cence et quelles sont les possibilités de m'en sortir avec toutes
mes facultés ? Est-ce que je veux faire de la chimiothérapie ?
Quels désagréments devrais-je endurer ? Avec quels risques de
complications ? Voilà des questions pertinentes. Mais les médecins vont souvent vite, ils se font une idée de la situation et s'y
tiennent, ils se mettent sommairement à la place du patient et,
convaincus que ce jeu de rôles est suffisant, ils prennent des
décisions parmi les plus fondamentales de l'existence sans en
discuter assez profondément. Il faut pourtant redonner plei-
nement sa place au patient et à ses choix. Parce que, dans les
meilleurs systèmes, le patient est au cœur des décisions qui le
concernent. Le lieu détermine aussi partiellement le niveau de
soins. On peut prodiguer des soins de confort à peu près partout où on trouve du personnel infirmier bien formé. Mais les
soins aigus se donnent généralement à l'hôpital. Le niveau de
soins souhaité par le patient et sa famille influencera donc ce
qui peut arriver en cas de maladie imprévue.

C'est une question qui demande donc, de la part des soignants, une approche éthique rigoureuse, une volonté de clarifier des réalités qui restent parfois dans le non-dit, une ouverture à l'égard des désirs et des besoins du patient et, surtout, une grande capacité d'écoute. Et il faut discuter de ces possibilités à l'avance. Ce n'est pas au beau milieu d'un infarctus aigu qu'on peut le mieux décider, à 94 ans, s'il vaut encore la peine de vivre ou non. Il faut également accorder plus de temps aux familles, souvent prises au dépourvu dans ces situations de détresse et avec des attentes parfois irréalistes quant aux bénéfices des traitements prodigués aux personnes âgées et malades.

Une approche humaniste de ces questions est essentielle. L'idéal est encore de planifier le tout en équipe, de recueillir plusieurs avis professionnels complémentaires, d'intégrer cette démarche au protocole de soins, de déléguer la personne la mieux placée pour approfondir les discussions les plus difficiles et de se donner le temps, quand on en dispose, pour évaluer le pour et le contre de chaque décision thérapeutique d'importance.

À la suite d'une commission parlementaire très bien menée au Québec sur les soins de fin de vie, on réfléchit maintenant à des questions plus graves, comme le suicide assisté et l'euthanasie. Je pense personnellement, pour avoir vu mourir beaucoup de gens, qu'on protège mieux la dignité humaine quand on respecte le libre arbitre du patient. Ce libre arbitre doit donc être placé au-dessus de tout, notamment des pressions religieuses qui voudraient infléchir le cours des choses au nom de principes qui n'ont pas toujours leur place au chevet du patient. Quand il s'agit d'un mourant, nous devons à mon sens le laisser libre de disposer de son existence.

... EN FAVORISANT LA PRÉVENTION...

NOUS L'AVONS VU, la bonne prévention, la plus efficace et la plus accessible, c'est celle qui entre dans les mœurs, forge les bonnes habitudes de vie et rejoint nos choix individuels. Elle ne requiert aucun test et, de plus, elle accroît l'autonomie des personnes.

Diminuer le tabagisme demeure la meilleure prévention contre le cancer du poumon et les maladies cardiaques : la moitié des fumeurs vont en effet mourir des conséquences de cette mauvaise habitude. Pas nécessaire de doser la nicotine dans le sang, il suffit de savoir qu'il faut arrêter. Des campagnes de communication efficaces peuvent aider à changer l'opinion publique. Et ça marche : le taux de tabagisme chez les adultes au Canada est passé de 45 % en 1960 à environ 16 % actuellement[123] ! En ce qui concerne les habitudes alimentaires, l'exercice et le sel, en théorie, c'est aussi simple, il suffit de manger des légumes, de faire régulièrement de la marche et de cuisiner soi-même plutôt que de manger des plats préparés, généralement bourrés de sel. En pratique, c'est plus compliqué, parce qu'on permet à la malbouffe d'envahir nos cantines scolaires, qu'on réduit les cours d'éducation physique à l'école et qu'on laisse les industriels mettre trop de sel dans la nourriture transformée. Il est grand temps de légiférer sur la malbouffe, de remettre l'exercice à l'honneur et de réglementer l'ajout de sel dans l'industrie alimentaire, comme on le fait en Europe.

On me dira que ça relève de la responsabilité des individus, que l'État n'a rien à voir dans nos assiettes et que, si les gens

---

123. Source : Santé Canada.

veulent mourir jeunes, c'est leur affaire! On peut pourtant douter que les gens veuillent vraiment mourir jeunes, et il faut voir que les conséquences de cette négligence coûtent une fortune à la collectivité. On serait stupide de renoncer à des solutions faciles et peu coûteuses, sous prétexte que la Constitution aurait érigé les mauvaises habitudes en droit de la personne! Comment justifier dans ce cas l'obligation de porter la ceinture de sécurité, si cela entrave la liberté individuelle?

On pourrait aller plus loin. On sait que les plus importants déterminants de la santé sont socio-économiques et n'ont rien à voir avec la médecine. La pauvreté, la misère, l'isolement, l'absence de soutien social, le chômage, la précarité de l'emploi, voilà des causes de vieillissement prématuré bien plus importantes que le taux de cholestérol, la pression artérielle ou le taux de sucre. Une meilleure redistribution de la richesse est sans conteste la façon la plus efficace d'améliorer la santé d'une population. Ce projet ne semble toutefois pas dans les cartons de nos gouvernements.

Quel est le rôle du médecin dans la prévention? Comme pour le reste, le médecin doit dépister certaines maladies afin de prolonger la vie de ses patients ou d'en améliorer la qualité. C'est d'autant plus vrai en prévention que, par définition, les maladies qu'on veut dépister ne causent pas encore de symptôme. Parce qu'un dépistage qui n'amène qu'une dégradation de la qualité de vie sans arriver à la prolonger ne sert à rien. Le dépistage du cancer de la prostate, que j'ai déjà évoqué, est un triste exemple. On en a beaucoup parlé ces dernières années. Combien d'hommes bien portants ont subi un dosage de l'antigène prostatique spécifique (APS), parfois à leur insu, parmi plusieurs autres prises de sang, pour apprendre du jour au lendemain qu'ils sont porteurs d'un cancer de la prostate ? Ils subiront ensuite de multiples traitements qui les rendront parfois impuissants ou incontinents mais qui, selon les données actuelles, ne les feront vivre ni plus vieux ni en meilleure santé. La majorité de ces cancers sont peu « agressifs » et ces hommes auraient eu le temps de mourir d'autre chose, sans rien savoir du cancer qu'ils portaient en eux. Et ce n'est pas moi qui le dis, ce sont les deux plus importants groupes américains de dépistage[124] !

Une partie du « dépistage » qui se fait aujourd'hui ne repose pas sur des preuves scientifiques solides. Il n'y a aucune justification médicale à ces prétendues pratiques de prévention : on fait ces prises de sang parce que c'est à la mode de les faire. On rassure ensuite le patient avec sa « prise de sang annuelle », on lui dit « vos tests sont beaux », tout va bien – alors que ça ne veut rien dire. Peut-être le patient continuera-t-il, en conséquence, à mal manger et à ne pas faire d'exercice, ce qui est bien pire !

Il y a une vaste analyse à mener sur cette question du dépistage. Comment encourager ce qui fonctionne, décourager ce qui ne fonctionne pas et encadrer la pratique abusive et irréfléchie de cette « médecine commerciale », qui pousse à la réalisation de tests inutiles ? Vaste programme en perspective pour convaincre aussi bien les gens que les médecins !

Bien entendu, il y a des personnes pour qui ces dépistages sont absolument requis : les malades. On doit, par exemple, faire des prises de sang régulières pour prévenir les complications chez les malades qui ont des problèmes rénaux. Et pour certaines maladies ciblées, le dépistage peut s'avérer efficace

---

124. Positions du Center for Disease Control and Prevention et de la U.S. Preventive Services Task Force, en juillet 2012.

chez les bien-portants. Le test Pap pour dépister le cancer du col de l'utérus en est un bon exemple : il explique pour une bonne part la diminution de 60 % de l'incidence de ce cancer. On constate pourtant qu'on met beaucoup plus d'énergie à faire la promotion du coûteux vaccin contre le virus du papillome humain (VPH), qui prévient les « condylomes », une maladie transmissible sexuellement (MTS) qui peut mener à ce cancer. Or, l'efficacité du vaccin n'est pas encore prouvée pour diminuer les cancers. Pour moins cher, on pourrait mener de meilleures campagnes de dépistage, avec le test Pap, qui auraient plus d'effet puisque 15 % des femmes canadiennes n'ont jamais subi ce dépistage et que seulement 30 % d'entre elles passent le test tous les trois ans, comme on le recommande[125].

Alors, de quoi est faite une bonne prévention ? D'actions généralement simples : cesser de fumer, mieux manger, faire de l'exercice. Pas besoin de tests pour ça. Et j'oubliais : doser le cholestérol, bien que ce point soit controversé pour les personnes en parfaite santé qui n'ont pas de maladie cardiaque. Quoi qu'il en soit, ce dosage est recommandé entre 40 et 70 ans chez les hommes et entre 50 et 70 ans chez la femme ménopausée. Mais pas tous les ans : tous les cinq ans quand notre cœur va bien. Mesurer la pression artérielle ? Sûrement. Pas trois fois par jour et surtout pas quand on est énervé, mais annuellement chez les personnes en bonne santé. Le diabète ? Mesurer le sucre à jeun tous les trois ans, ce qui prend quelques secondes par une simple piqûre au bout du doigt. Pas tous les mois !

Et pour les cancers ? En l'absence de facteurs de risque pour le cancer du côlon, il faut faire vérifier tous les 2 ans la présence

---

125. Source : Fédération des femmes médecins du Canada.

de sang occulte dans les selles des personnes âgées de 50 à 75 ans, puis recommander une colonoscopie lorsqu'on en trouve. Pour le cancer du sein, on suggère une mammographie aux femmes de 50 à 74 ans tous les 2 ou 3 ans. Pour le cancer du col de l'utérus, un test Pap tous les deux à trois ans entre 21 et 65 ans. Rien pour le cancer du poumon : pas par négligence, mais parce que rien ne fonctionne. Même chose pour le cancer de la peau : les données sont insuffisantes pour recommander un dépistage systématique. Le cas le plus difficile : le dépistage du cancer de la prostate. Les urologues recommandent ce dépistage, bien que toutes les données récentes montrent que ça n'influe en rien sur la mortalité. À vous de décider avec votre médecin. Les infections ? Il suffit d'avoir ses vaccins à jour. Les chutes ? Essentiel : dépistage obligatoire des risques de chute chez les personnes de plus de 65 ans. L'ostéoporose ? Chez les personnes à risque seulement. On complète par une évaluation sommaire de la vue et de l'ouïe, un questionnaire pour l'abus d'alcool et la violence familiale et voilà, on a fait le tour de la question du dépistage ou à peu près. Pas compliqué, n'est-ce pas ?

Bien entendu, la ligne de démarcation entre les actes médicaux nécessaires et ceux qui sont futiles ne sera jamais tout à fait nette. Il est difficile d'en débattre, c'est néanmoins primordial, parce que cela touche au cœur même de la profession.

... ET EN APPRENANT DE NOS ERREURS.

D ANS LE SYSTÈME de santé surviennent régulièrement des erreurs. C'est terrible. Mais ça n'a rien d'unique : cela arrive dans tous les systèmes de santé, sans exception. D'ailleurs, nous ne sommes pas pires qu'ailleurs à ce chapitre. Partout, on cible la réduction des erreurs comme un moyen majeur d'améliorer la qualité des soins. Le premier défi est d'abord de les reconnaître. Les hôpitaux ont établi pour cela des procédures qu'il faudrait tenter de reproduire à l'extérieur de ces établissements : les accidents et les erreurs y sont répertoriés et analysés, et des professionnels cherchent continuellement des moyens pour ne pas les répéter.

Une loi oblige d'ailleurs depuis quelques années les établissements québécois à divulguer les accidents et les erreurs, mais son application concrète paraît encore limitée, les hôpitaux et les médecins demeurant plutôt méfiants, par crainte des réprimandes. L'objectif de cette loi n'est pourtant pas de punir les coupables, ce serait plutôt l'inverse : il s'agit de comprendre ce qui s'est passé pour changer les façons de faire. Mais l'ouverture et la confiance, nécessaires pour que fonctionne ce mécanisme, font parfois défaut. Et en cas de poursuites, les médecins ont tendance à s'isoler par réflexe d'autoprotection, mais aussi parce que c'est ce que leur recommandent leur assureur et leur avocat. Réflexe néfaste.

Malgré que nous soyons bien loin de vivre une médecine à l'américaine, où tout acte médical peut induire une poursuite dont il faut se prémunir, ces craintes poussent de plus en plus de praticiens vers une médecine « défensive », où l'on se « couvre » avec un grand nombre d'examens inutiles.

Pourtant, au-delà des conséquences juridiques et financières, la reconnaissance d'une erreur, le maintien de la communication avec la victime et le fait d'« être là » pour son patient
même quand les choses tournent mal, contribuent à éviter
d'envenimer une situation déjà tendue. Les patients sont parfois prêts à pardonner une erreur à leur médecin, sauf quand il
ne la reconnaît pas ou, pire, qu'il coupe le contact.

Les litiges où les victimes d'erreurs médicales cherchent à
obtenir une compensation sont des démarches laborieuses et
bien souvent infructueuses. Ces poursuites coûtent une fortune et ont des conséquences néfastes pour tous, autant pour le
médecin, qui peut en être lourdement affecté, que pour le
patient, qui vit là un stress intense, s'ajoutant aux dommages
dont il s'estime victime. Plusieurs personnes dans le milieu
juridique et médical pensent qu'un système *no fault*, comme
pour l'assurance automobile, permettrait de sortir de cette
logique de judiciarisation qui draine beaucoup d'énergie
humaine et matérielle. Une telle approche permettrait aussi
d'aborder plus ouvertement ces questions sous l'angle de la
recherche de solutions. Ce serait une grande avancée pour les
patients, les médecins et le système de santé lui-même[126].

---

126. Il y a au moins un précédent : la loi sur Héma-Québec institue un
régime *no fault* pour les complications liées à l'usage thérapeutique des produits sanguins. Voir les articles 54 et suivants de la Loi sur Héma-Québec et
sur le Comité d'hémovigilance, LRQ, C H-1.1.

Il faut aussi coordonner l'ensemble…

L e manque de coordination et d'intégration des trois secteurs majeurs du système de santé – soit les soins primaires (la première ligne des médecins de famille), les soins aigus (les urgences et les hôpitaux) et les soins communautaires (les ressources d'hébergement et de soutien à domicile) – explique une bonne part des problèmes discutés ici, à savoir que les soins ne sont administrés ni en temps opportun, ni dans un lieu approprié, ni à un niveau adéquat. Le système de santé a été bâti en silos qui communiquent mal et le réorganiser pour en faire un système unifié n'est pas chose facile.

Une meilleure coordination des soins pourrait diminuer l'utilisation de l'urgence et de l'hôpital, la portion la plus coûteuse du système de santé, mais pas nécessairement la plus appropriée pour traiter les malades chroniques. Il faut d'abord réaliser l'ampleur de la question : la majorité des ressources du système de santé canadien sont utilisées pour moins de 5 % des patients. On a ainsi pu mesurer que 1 % des patients ontariens utilisent 34 % des ressources[127] ! Même une légère diminution du recours à l'hôpital pour ces patients « lourds » permettrait de dégager une marge de manœuvre appréciable pour tous les autres. Il faut donc améliorer en priorité les soins offerts aux patients souffrant de maladies chroniques, physiques ou mentales, souvent âgés et qui utilisent la plus grande part des services de santé.

---

127. « Des services publics pour la population ontarienne : cap sur la viabilité et l'excellence », *loc. cit.*

Quant au principe selon lequel « l'argent suit le patient », abordé dans le chapitre portant sur le financement par activité, il faudrait plutôt l'appliquer bien au-delà de l'épisode de soins à l'hôpital. Les recherches montrent en effet qu'un financement donné à une équipe coordonnée de soignants permet de les responsabiliser pour l'*ensemble* des soins les plus appropriés et les plus efficients[128].

L'intégration, la coordination et la cohérence des soins ne sont pas des principes abstraits. Il faut se donner des objectifs clairs qui favorisent la collaboration entre les services de santé et entre les soignants. Il s'agit d'un travail à mener simultanément à tous les niveaux[129]. Beaucoup de données témoignent des résultats bénéfiques de ces efforts. Par exemple, dans les hôpitaux du district de Birmingham, en Angleterre, cette approche a rendu possible une diminution de moitié des consultations urgentes en santé mentale. Une coordination optimisée des soins apportés aux malades chroniques a de même réduit de 20 % l'utilisation de l'hôpital dans le comté de Jönköping en Suède[130]. La plupart des recherches montrent qu'il faut aussi intégrer la compréhension et l'expérience du patient à la planification des soins.

Un exemple québécois tout aussi impressionnant est le projet Défi, réalisé par l'hôpital de Sainte-Agathe, qu'on appelle maintenant le csss des Sommets. C'est une initiative d'un médecin que je connais bien, le Dr Jean Mireault, et de son

---

128. Marcy Cohen *et al.*, « Beyond the Hospitals Walls : Activity Based Funding Versus Integrated Health Care Reform », Centre canadien des politiques alternatives (ccpa), janvier 2012.

129. *Ibid.*

130. *Ibid.*

équipe. L'idée est simple : certains patients se retrouvant souvent dans les lits d'hospitalisation ou à l'urgence, il s'agissait de diminuer la fréquence de leurs séjours tout en les soignant mieux. Pour y arriver, on a identifié les 200 patients passant le plus de temps à l'hôpital et confié leur dossier à une « infirmière gestionnaire des cas complexes ». À partir des problèmes identifiés par les patients eux-mêmes, on a mis à contribution le réseau environnant : ces patients ont-ils un médecin de famille ? Un suivi par le CLSC ? Des aidants naturels ? Une fois ces liens établis ou renforcés, on s'est assuré d'établir un suivi serré de ces 200 patients, en particulier dès que leur problème de santé, habituellement chronique, montrait des signes de résurgence. Le résultat ? Une diminution de moitié des taux d'hospitalisation et des visites à l'urgence et une amélioration de la qualité de vie des malades chroniques. Par cette seule intervention, on a réussi à augmenter de 10 % le nombre de lits de l'hôpital disponibles pour les autres patients.

Voilà un exemple concret des effets de l'intégration et de la coordination des soins sur la santé des patients fragiles et sur le fonctionnement de l'hôpital. On met sur pied d'autres projets du genre dans plusieurs régions du Québec, avec des résultats similaires. Ces programmes de suivi permettent non seulement d'améliorer la santé et la qualité de vie des patients, mais aussi de les maintenir plus longtemps dans leur milieu et de diminuer le recours à l'hospitalisation. C'est ce type d'approche que le ministère de la Santé devrait favoriser et non la privatisation des soins.

... AFIN DE RÉTABLIR LA MISSION CLINIQUE...

L A MISSION CLINIQUE, la notion de service public et le droit des citoyens à des services de santé sont aujourd'hui menacés et il faut les réaffirmer. Après avoir mis en place un système couvrant largement les besoins et financé correctement par l'impôt, on y a introduit peu à peu, au cours des dernières décennies, des notions étrangères à l'univers de la santé, gravitant toutes autour du concept de «gouvernance», sorte de réduction gestionnaire de l'idée de «gouvernement» – et *modus operandi* de ceux qui veulent diminuer les responsabilités de l'État. Rétablir la mission clinique du système de santé et restaurer l'idée de service public suppose de revenir à certains principes de base[131] à même de structurer les soins à plusieurs niveaux simultanément et d'améliorer notre capacité à offrir des services de qualité.

Il faut d'abord corriger cette aberration qui consiste à couvrir certains actes d'imagerie uniquement lorsqu'ils sont réalisés à l'hôpital. Le Québec est une exception à cet égard, il devrait s'inspirer de l'Ontario et assurer dès maintenant la couverture publique de l'échographie, de la tomodensitométrie et de la résonance magnétique nucléaire effectuées en clinique, tout comme quand elles sont effectuées à l'hôpital. Ces examens courants ont été exclus de la couverture publique par simple voie de règlement; il serait simple de les réintégrer en abrogeant ledit règlement. Cette première étape permettrait d'améliorer l'accès à l'imagerie médicale. Il faudrait ensuite ramener

---

131. Ces demandes constituent les priorités actuelles de l'organisation dont j'occupe actuellement la présidence, MQRP : www.mqrp.qc.ca

graduellement la prestation de ces examens, dorénavant financés par le public, dans le giron des établissements publics.

Il faudrait également évaluer les conséquences de l'absence de couverture publique de certains traitements médicaux dont la prestation n'est pas assurée par des membres du Collège des médecins – la dentisterie, par exemple –, pour mesurer son impact et corriger le tout au besoin.

Deux autres problèmes compromettent l'accès aux soins donnés à l'extérieur des établissements de santé : les frais accessoires et la surfacturation. Bien que certains frais accessoires limités et circonscrits soient autorisés, la RAMQ a enquêté ces dernières années sur de multiples cas de frais illégaux, qui menacent l'accès aux soins pour ceux qui n'en ont pas les moyens. La chose n'est ni acceptable, ni souhaitable, ni équitable, ni même efficace, puisqu'elle fait passer les soins payants avant les soins pertinents. Il serait très facile pour la RAMQ et le Collège des médecins d'agir de manière prompte et efficace dans ce dossier et de mettre fin à ces pratiques abusives. Mais on tergiverse.

Enfin, plusieurs commentateurs prônent des pseudo-solutions, dont j'ai abondamment démontré les faiblesses dans le présent ouvrage. Je me permets ici d'en rappeler certaines, face auxquelles il faudra rester vigilants dans les prochaines années. J'ai ainsi parlé de la mixité de la pratique et des problèmes majeurs qui pourraient lui être associés, qu'on retrouve déjà en radiologie. Il faut absolument éviter de prendre cette voie pour préserver le bon fonctionnement de notre système de santé et la pertinence des soins qui y sont prodigués.

Le désengagement des médecins du système de santé public, choisi surtout par certains omnipraticiens, s'accélère au Québec, au détriment de l'accès aux soins des personnes démunies. J'en ai beaucoup parlé. Mais on peut agir immédiatement. Dans un premier temps, le ministre de la Santé pourrait limiter les tarifs demandés au privé à ceux négociés dans les ententes publiques, ce qui rendrait ce choix financièrement inintéressant. Dans un second temps, si le mouvement se poursuivait et causait préjudice dans certaines régions, le ministre aurait le pouvoir de l'interdire.

C'est au prix de tels efforts demandant du courage politique et des convictions que nous pourrons protéger la précieuse mission clinique et de service public du système de santé.

... EN ASSURANT UN FINANCEMENT SUFFISANT...

Q UEL EST LE BON niveau de financement pour le système de santé? C'est simple, celui qui lui permet de bien remplir sa mission. À cet égard, une double menace pèse sur lui. D'abord, un ralentissement des hausses de budget prévu pour les deux prochains exercices par le gouvernement du Québec, en 2012-2013 et 2013-2014 : on a notamment fait le choix de financer un retour rapide à l'équilibre budgétaire par des compressions relatives en santé, alors qu'on aurait pu choisir d'augmenter les impôts des gens à haut revenu et des entreprises. Mais le ministre Yves Bolduc est optimiste, comme à son habitude ; il n'y aurait pas d'impact. Ensuite, les changements aux transferts fédéraux à partir de 2017 pourraient à leur tour mettre à mal encore plus gravement la capacité des provinces à assumer les coûts du système de santé. Quand on constate que la part publique des coûts du système est sous contrôle par rapport à la taille de l'économie (mesurée par le PIB), ne devrait-on pas être en droit de s'attendre, comme citoyens, à ce que nos gouvernements s'assurent d'un financement adéquat à partir de l'impôt et des taxes?

La croissance économique entraîne une hausse conséquente des revenus fiscaux, suffisante pour assurer le financement des soins. Cependant, la volonté des deux niveaux de gouvernement de baisser les impôts met à mal notre capacité de financer adéquatement le principal poste de dépense gouvernemental. Cet environnement politique externe ne favorise pas une vision communautaire des questions de santé. On peut aussi déplorer de ne pas voir apparaître de mesures efficaces pour atténuer les effets de la forte croissance des dépenses privées.

Quant à la distribution du financement, on sait que les établissements disposent d'un budget global et historique, un mode parfois critiqué pour sa rigidité et pouvant conduire à des coupures de l'offre de service. Même si ce mode de financement est considéré comme «archaïque» par certains, croire qu'il explique les problèmes du réseau ne repose sur aucune preuve solide. De plus, des États américains, comme le Massachusetts, commencent justement à s'éloigner du mode de financement par activité (FPA) pour retourner à un mode global, qui comporte aussi des avantages indéniables[132].

---

132.   Zirui Song et Bruce E. Landon, «Controlling Health Care Spending: The Massachusetts Experiment», *New England Journal of Medicine*, n° 366, 26 avril 2012, p. 1560-1561.

… ET DES ENTENTES PROFESSIONNELLES EFFICACES…

L'ARGENT MÈNE LE MONDE. Il mène également, en partie, les médecins. Il faut savoir que la rémunération des médecins dans le système public est encadrée par des ententes négociées entre les fédérations médicales (FMOQ et FMSQ) et le MSSS. Mais ces ententes incroyablement touffues sont tellement complexes que la RAMQ, qui en assure la gestion, peine à les mettre à jour. Une de ces ententes prend 732 pages simplement pour décrire les actes des médecins spécialistes, et c'est écrit petit!

Or, ces ententes sont d'une importance cruciale. C'est sans doute l'outil le plus efficace pour orienter les activités médicales vers ce qui, d'un commun accord, est souhaitable pour les patients. Elles déterminent les montants associés à chaque acte diagnostique ou thérapeutique, les règles de facturation, mais aussi une foule de modes de paiement alternatifs: le mode mixte (pourcentage de paiement à l'acte et de tarif journalier ou semi-journalier), les vacations (tarif horaire fixe), les forfaits de garde, etc. On peut favoriser certaines pratiques par des modifications ciblées, par exemple, en majorant les soins aux personnes âgées, en heures défavorables et donnés en situation d'urgence. On est bien loin du paiement à l'acte, en bloc et sans nuances.

Il est dommage qu'on ne dispose pas d'outils plus simples et plus souples qui permettent plus de flexibilité. Certains principes de rémunération perdent leur pertinence lorsqu'ils n'ont plus grand sens, notamment des modes de rémunération qui ne prennent pas en compte la complexification des procédures et l'augmentation du nombre de malades chroniques.

Est-il par ailleurs normal de faire des gains de productivité liés à la technique un facteur d'enrichissement individuel des médecins, plutôt que de redistribuer les sommes ainsi épargnées ? Je ne pense pas.

Année après année, s'ajoutent toutefois de nouvelles modalités, par exemple celles permettant de renforcer le lien entre la clientèle de première ligne et les médecins omnipraticiens. D'autres favorisent la prise en charge des patients vulnérables. On parvient ainsi à décourager une médecine plus « légère » (les cliniques sans rendez-vous) au profit de choix plus conséquents (le suivi à long terme des malades chroniques). Par contre, il ne faudrait pas tomber dans l'excès inverse et entraver l'accès aux patients trop « légers ». Tout est donc question de mesure et de doigté… et d'évaluation des conséquences des modifications. Récemment, une vaste étude de 37 milieux cliniques de première ligne réalisée au Québec montrait par exemple que la rémunération à tarif horaire ou à salaire entraînait une amélioration de 27 % de la qualité technique globale[133] des soins.

Les changements se font trop lentement au regard de tout ce qui pourrait être fait. Certains experts dans le domaine pensent qu'on pourrait aller beaucoup plus loin et plus vite, si ce n'était de la difficulté de la RAMQ à suivre le rythme et de la lourdeur du processus de négociation. Mais c'est un travail de fond que l'on ne peut s'épargner.

Une partie de la mécanique de répartition des émoluments paraît contestable : la hausse accordée à la FMSQ, au terme de la

---

133. Marie-Dominique Beaulieu, « Facteurs organisationnels qui soutiennent des pratiques cliniques de qualité en première ligne. Résultats d'une étude québécoise », loc. cit.

négociation, est répartie entre les différentes spécialités par un mécanisme interne complexe, dans lequel le ministère de la Santé a peu à voir. Cette mécanique est injuste, parce que les spécialités techniques, où les gains de productivité sont rapides, ont vu historiquement leur revenu déjà élevé augmenter rapidement, creusant l'écart. Ce qui avait déjà fait dire à un psychiatre, s'adressant au président de la FMSQ, que « les scanners vont peut-être plus vite qu'il y a dix ans, mais moi mes patients ne parlent pas plus vite ». Ce processus de redistribution interne échappe aussi en partie à la logique de planification, dans le cas, par exemple, où le ministère de la Santé souhaiterait valoriser certaines spécialités.

La même remarque pourrait d'ailleurs s'appliquer aux médecins de famille : leur rôle essentiel au sein du système de santé est insuffisamment valorisé. L'écart croissant de leur revenu en comparaison avec celui des spécialistes n'aide pas à renforcer leur rôle en première ligne. Cet écart doit être corrigé. L'existence même de deux fédérations de médecins, défendant souvent des intérêts divergents, est en soi un problème (unique en son genre) au Québec. Certains ont déjà évoqué une fusion. Pourquoi pas ? Cela pourrait aider à développer une vision plus cohérente du système de santé et des priorités médicales.

Des paramètres reconnaissant la difficulté de prendre en charge à long terme des clientèles lourdes ont récemment fait leur apparition dans les ententes avec les omnipraticiens. En Colombie-Britannique, on a ainsi transformé les modes de rémunération des médecins de famille, en ajoutant des incitations à la prise en charge et au suivi des maladies chroniques. Cela permet d'améliorer le lien entre le médecin de famille et les patients vulnérables et conduit à un meilleur suivi, à une diminution de la pression sur les hôpitaux et à des économies substantielles pour chaque patient ainsi « rattaché » à un médecin de famille.

Naturellement, les ententes pourraient aussi se révéler des outils efficaces pour moduler les choix thérapeutiques. Il est dommage qu'elles ne soient pas utilisées davantage en ce sens, par exemple pour diminuer les soins n'ayant pas de valeur ajoutée et renforcer ceux qui présentent le plus grand intérêt clinique. On le voit, il y a de multiples façons d'orienter les activités médicales à partir des ententes fédératives. Reste que toute avancée dans ce domaine dépend d'une réflexion autour d'un modèle qui doit intégrer dans tous les cas la notion de suivi coordonné des clientèles lourdes et vulnérables.

… AFIN QUE CHACUN SE RESPONSABILISE !

L A PRISE EN CHARGE des patients à risque par le médecin de famille commence à s'améliorer avec l'inscription des clientèles vulnérables. Pourrait-on continuer dans cette direction pour associer *tous* les citoyens à un médecin de famille ? Nous avons à la fois plus de médecins de famille au Québec et plus de « patients orphelins ». On dira ce qu'on voudra, mais je trouve curieux qu'on puisse assurer un suivi à 75-80 % des gens, mais pas à 100 %. On devrait pouvoir y arriver. Sans modifier la charge de travail, on pourrait d'abord étaler dans le temps les rendez-vous des patients « bien-portants ». Ce qui ne serait catastrophique pour personne. Les personnes sans médecin de famille sont probablement moins malades et leurs besoins, moins pressants que ceux des personnes âgées. On peut aussi penser qu'une certaine proportion d'entre elles ne souhaite pas vraiment de médecin de famille. On a déjà vu comment on pourrait, par ailleurs, améliorer notre marge de manœuvre. Ce défi de lier chaque citoyen à un médecin de famille devrait être la plus haute priorité de la FMOQ et du ministère de la Santé. En commençant de manière ordonnée par les aînés les plus fragiles, il devrait être possible de répondre aux besoins.

Mais il faut aussi envisager la question plus largement, considérant simultanément la pratique clinique, la priorité accordée aux clientèles vulnérables, l'identification des patients orphelins et la notion de prise en charge multidisciplinaire. Quel modèle souhaitons-nous à long terme pour y parvenir ? Veut-on explorer des formules de capitation par lesquelles l'argent suivrait vraiment le patient, afin de couvrir l'ensemble de ses besoins? L'équipe responsable du patient disposerait d'un budget global couvrant en théorie les soins requis pour la prise en charge, comme cela se fait en Grande-Bretagne. Cette formule de financement populationnelle permettrait de responsabiliser la première ligne dans la gestion d'une enveloppe globale. L'intérêt de ce modèle est qu'on renverse la dynamique habituelle : « Les organisations et professionnels de la santé de deuxième et troisième lignes tels, les centres hospitaliers et les médecins spécialistes, doivent orienter prioritairement leurs rôles, fonctions et services de façon à supporter ces organisations de première ligne[134]. »

Il faut toutefois demeurer prudent, parce que ce modèle pourrait aussi mener à des distorsions comparables à celles qu'engendrent le FPA, mais à l'inverse : les médecins responsables des patients peuvent être tentés d'éviter d'offrir les soins médicalement requis pour diminuer leurs dépenses, comme on vient tout juste de le découvrir en Grande-Bretagne[135], où la majorité des « trusts » responsables des soins aux patients retardaient des opérations pour la hanche, le genou et les cataractes. Il y a enfin le risque de dérive d'un tel modèle vers une concurrence publique-privée, comme avec le FPA. Peut-être faudrait-il plutôt choisir une approche territoriale, comme aux Pays-Bas, où les médecins de première ligne se regroupent pour offrir une couverture complète à tous les patients d'une région donnée. Ça c'est une vision !

---

134.   « Pour un système de santé de qualité pour tous. Manifeste des 59 : lettre ouverte à Yves Bolduc, ministre de la Santé », *loc. cit.*

135.   James Meikle, « Pressure on Budgets Makes Primary Health Trusts Limit Operation », *The Gardian*, 19 juin 2012, www.guardian.co.uk/society/2012/jun/19/pressure-budgets-pcts-limit-operations

Alors explorons et réfléchissons, mais en prenant bien en compte tous les faits pertinents et les expériences internationales. Notre façon de faire n'est pas la seule possible, il y en a sûrement de meilleures et, bien entendu, de bien pires !

Et maintenant à vos jaquettes...

Bon, c'est pas tout de renipper le système, il faut aussi se transformer soi-même, tous les gourous l'affirment. Au moins, des habits neufs! Et je ne parle ni du sarrau blanc, ni du *scrub* vert ou bleu ou mauve. Ni de la cravate, ni du chapeau du chirurgien, ni des pantoufles des patients. Tout cela trouve sa juste place dans l'univers fragile de la santé et c'est très bien ainsi. Non, je parle d'un vêtement beaucoup plus important, fondamental, unique et...

Mais attendez que je vous explique.

Le troisième prix du concours Innovation & Recherche de l'Association de l'industrie des technologies de la santé – en connaissiez-vous seulement l'existence? – a-t-il été attribué à un nouvel appareil avant-gardiste, d'inspiration japonaise, avec plein de voyants lumineux du type résonance magnétique miniaturisée placée au bout d'un endoscope dirigé par laser pour transporter des nanomolécules qui réparent les gènes de la rétine?

Non, rien de ça: l'objet gagnant est un gadget *infiniment* plus révolutionnaire. C'est ce qu'on appelle une jaquette d'hôpital! Une belle jaquette, mais une jaquette réinventée, social-démocrate, éthiquement vitale, engagée et tout. Normal qu'elle ait gagné!

Cette jaquette miraculeuse, le modèle Duo, conçue par Noémie Marquis, diplômée en design industriel de l'Université de Montréal, et par sa professeure Denyse Roy, viendra peut-être bientôt au secours de la pudeur de nos patients et de l'esthétisme de nos corridors. Avec ça sur le dos, même un séjour à l'urgence se passera dans l'allégresse.

Mais d'abord, précisons : « jaquette » est-il vraiment le mot juste ? Qu'aurait dit mon ami Guy Bertrand, l'ayatollah de la langue à Radio-Canada ? En langage châtié, il me faudra doré-navant dire « chemise d'hôpital » et non « jaquette ». Pour ma part, même si je ne pourrai pas l'utiliser en ondes, je préfère le terme *english* : *Johnny coat*. Qui est ce Johnny ? Je vous laisse deviner.

La jaquette bleue, en passant, est le symbole parfait de notre système de santé public : pas nécessairement élégante, un peu difficile à attacher, mais toujours disponible quand ça va mal. Il y en a pour tout le monde : je n'ai jamais vu une seule fois un patient sans jaquette. Si on manque parfois de personnel, de gants de latex et de médecins, en revanche on ne manque *jamais* de jaquettes.

Mais le plus important, c'est qu'en jaquette, tout le monde est pareil, vraiment, peu importe le ventre, les poils dans le dos, la longueur des bras, l'épaisseur du portefeuille et les titres de noblesse. Richard Martineau ou Léo-Paul Lauzon, dans une jaquette, c'est du *pareil au même*. Absolument ! C'est pour ces raisons que MQRP a choisi d'en faire son logo.

Bien entendu, il y a aussi des problèmes. Il y a des gens qui abusent de nos jaquettes publiques. Ils en prennent deux. Il faudrait leur mettre un ticket modérateur. Mais les recherches en Suède et en Birmanie ont montré qu'une quote-part appli-quée à la jaquette augmente le risque de grossière indécence sans diminuer le volume de linge sale.

Au fait, quand un artiste immortalisera-t-il les figures de style du port de la jaquette ?

Figure 1, classique : le patient qui arpente le corridor à trois heures du matin en poussant d'une main le poteau de son

« gréement », tout en assurant ses arrières de l'autre main en tenant bien serrés les pans de sa jaquette – question de ne pas attraper la fraîche.

Figure 2, titubante : le patient en manque d'équilibre qui doit tenir son poteau à deux mains pour prévenir les chutes, en dévoilant celle de ses reins.

Figure 3, inversée : figure savoureuse, mais embarrassante pour le patient, qui porte la jaquette ouverture devant, ne comprenant l'erreur qu'au moment où il doit l'ouvrir pour permettre l'examen.

Figure 4, prudente : il en porte deux, une en arrière, une en avant, très efficace, mais ça complique les choses en cas d'urgence vitale. Je pense d'ailleurs que la figure 4 fut la source d'inspiration de la jaquette Duo.

Le plus gros problème de la jaquette traditionnelle est que, mise à l'endroit, elle s'ouvre par l'arrière et inversement : que voulez-vous, le cerveau ne s'y fait pas. Denyse Roy a donc conduit une « étude transhistorique » sur le sujet. Sa conclusion est sans appel : il est important pour les humains de gérer leurs ouvertures vestimentaires *devant* et non *derrière*. J'imagine que c'est une question d'habitude. Personnellement, j'aurais effectivement de la difficulté à me faire un nœud de cravate dans le dos.

Plus fondamentalement, on sait de quoi on a l'air devant – mais derrière ? La question universelle est : voit-on mes fesses ? Généralement oui, une idée pas toujours réjouissante. Or, le doute est ici *pire* que la certitude.

Au fait : *pourquoi* ? Pourquoi, médicalement, faut-il des jaquettes ? Pourquoi pas des robes de chambre en ratine ? Pourquoi forcer nos patients à enfiler ces pièces de linge qui leur compliquent la vie ? Pour les vêtir, pensez-vous ? Pas du tout.

Au contraire, c'est pour les dévêtir ! Et le plus rapidement possible ! Pour accéder à toutes les parties du corps, notamment les plus intimes, en cas d'urgence ou lorsqu'on a des soins à donner.

La difficulté d'enfiler convenablement une jaquette bleue est d'ailleurs une mesure inverse de la facilité avec laquelle on peut l'enlever. Trois secondes. J'ai vérifié.

D'où la solution développée : exemple de synecdoque simple et synthétique, il s'agit en fait de prendre la partie pour le tout afin de se voiler les parties avec ce tout. Après cinq ans de recherches ardues, la chemise Duo a été mise au point : un demi-panneau pour l'avant, même chose pour l'arrière. Pour parler mode, un domaine que je connais bien, c'est « un-en-deux », variante de la figure 4.

Deux parties identiques, donc *aucun* risque d'erreur : on peut mettre l'une ou l'autre en premier ou en dernier et inversement : le choix du patient est totalement respecté. On pourrait même, pour améliorer la rentabilité de Rockland MD, faire porter seulement une demi-jaquette, que j'appellerai ici pour simplifier une Uno, mais il faut être conscient des risques. La deuxième moitié viendrait en prime pour ceux qui payent le forfait spécial.

Mais demeure la question médicalement essentielle : cette jaquette permet-elle *l'accès* instantané à l'organisme ? Oui, rapidement et même aisément. Les recherches sur le terrain, à l'hôpital St. Mary's, l'ont prouvé. Enfin, il faut savoir qu'une savante sélection d'imprimés permettrait 81 permutations de motifs et de couleur. Des flocons de neige pour l'hiver. Des fleurs pour l'été.

C'est la révolution !

… ENGAGEZ-VOUS !

AVANT D'ÊTRE des contribuables, des bénéficiaires ou une clientèle – toutes ces sornettes –, vous êtes des humains. Parfois malades. Frappés par des affections bénignes ou graves, temporaires ou chroniques. Fatales. Vous en perdrez, pour quelques heures ou quelques jours ou plus longtemps, votre capacité de travailler, votre liberté d'agir et même de penser. Cela vous fera mal, vous affaiblira, vous rendra peut-être invalides, impotents ou inconscients, et pourra même vous tuer. Moi, je vous soignerai, soyez-en certains. Et si je ne peux pas vous sauver, je vous soulagerai. Et si je ne peux même plus vous soulager, je vous tiendrai la main. C'est mon métier. Je n'en changerais pour rien au monde.

Vous avez droit aux soins qui pourront vous aider à améliorer votre santé, guérir de la maladie, vivre avec elle et mieux en endurer la douleur, sans jamais perdre votre dignité. C'est un aussi grand privilège pour moi de vous soigner que c'est une grande responsabilité pour l'État de mettre en place les conditions pour que les soins se rendent bien jusqu'à vous.

Votre droit à la santé est inaliénable. Vous n'avez pas à renoncer à guérir parce qu'on vous aura dit que les soins ne sont pas disponibles. Vous n'avez pas à avoir honte d'avoir une maladie longue et difficile à traiter. Vous n'avez pas à accepter que les services de santé se détériorent. Vous avez le droit d'être en colère contre ceux qui, engagés dans vos soins, s'en éloignent un jour pour se consacrer à la recherche du profit. Je serai en colère avec vous.

Vous êtes responsables de votre état de santé et vous devez en prendre soin. Mais vous êtes aussi responsables de la santé de vos familles, de celle de vos voisins, de celle de toute la communauté. Nous sommes tous responsables les uns des autres. Alors engagez-vous et travaillez à améliorer les choses, vous aussi. Exigez une oreille attentive de ceux qui se sont donné comme mission de diriger notre système de santé. Refusez de vous taire quand l'attente, la souffrance ou l'humiliation causées par la maladie vous semblent inacceptables. Je ne me tairai pas non plus.

Le droit à la santé est universel et a été chèrement gagné. Même si, depuis longtemps, on nous rebat les oreilles avec l'idée que nous n'avons plus les moyens, que nous ne pouvons plus assumer ces responsabilités ni offrir les services, ce n'est pas vrai.

Ce livre, c'est mon vœu, vous le démontre amplement. Le système de santé vous appartient et personne au monde ne devrait vous convaincre du contraire. Moi, je ne cesserai jamais de l'écrire.

Alors c'est à vous, aujourd'hui, de vous lever, de prendre la parole et de vous battre, afin que soit respecté, maintenant et pour les générations à venir, ce droit à la santé, essentiel à la dignité humaine.

Je me battrai avec vous. Pour vous, parce que nous sommes ensemble.

ÉPILOGUE

ALLIEZ PLAISIR ET PRÉVENTION /
MIX PREVENTION WITH PLEASURE!

J'AVAIS ENFIN terminé les innombrables corrections à mon manuscrit et je l'avais envoyé à mon éditeur, après plusieurs nuits sans dormir… quand un ami m'a fait parvenir par courriel une brochure intrigante, léchée, de grand style, tellement que c'en était émouvant.

«Première canadienne!» Ah bon? Une découverte révolutionnaire dans la recherche sur le cancer? Non, pas vraiment. Beaucoup mieux: du *tourisme médical* dans la belle ville de Québec! Et avec un titre magnifique, qui ne s'invente pas: «Alliez plaisir et prévention», à découvrir, j'imagine, après une balade entre la rue Plaisance et la rue Prével…

J'ai toujours pensé que les Québécois donneraient l'exemple au Canada. Tout un programme! Du tourisme médical bien de chez nous, ancré dans nos plus belles traditions. Au château Frontenac, en plus. Assez loin de la célèbre rue du Dr-Larochelle, dans La Haute-Saint-Charles. «R… est une clinique de qualité qui se démarque grâce à ses installations innovatrices et écologiques». Ce qu'on vous propose n'est pas de découvrir la biologie de l'ornithorynque à l'Aquarium du Québec, c'est beaucoup plus plaisant, et prévenant comme il se doit:

Un accueil personnalisé, des services professionnels chevronnés et l'accès à de l'équipement à la fine pointe des nouvelles technologies font du «Programme tourisme médical» un traitement VIP exceptionnel. Dans le respect de votre échéancier de voyage, profitez de notre salon exclusif tout confort, et ce, sans délai d'attente lors de votre rendez-vous. Vous obtiendrez vos résultats dans les 24 heures suivant votre examen. Le tourisme médical ville de Québec, une première canadienne!

Le produit s'adresse aux Canadiens seulement, pour des raisons que j'ignore. Plus bas, le texte précise que ces activités culturelles seront probablement remboursées en partie par vos assurances:

Plusieurs des frais liés aux examens médicaux sont couverts par les compagnies d'assurance. Le cas échéant, nous vous aiderons à faire les démarches auprès de votre assureur afin de prendre les arrangements nécessaires à votre remboursement.

Bien sûr, ce n'est pas le séjour dans le PET-scan ou sous la caméra gamma qui vous relaxera nécessairement, mais les à-côtés offerts à l'hôtel:

Traitement royal au F... qui vous séduira par son charme historique, son élégance intemporelle, son service de renommée internationale et sa touche magique: chambres et suites luxueuses avec vues imprenables, centre de santé avec piscine intérieure, institut P... (spa urbain) et des expériences gastronomiques exceptionnelles.

Sans oublier, bien entendu, un peu de détente après une longue marche rue de la Médecine, à Sainte-Foy, entre deux diagnostics: «Massage suédois de 60 minutes pour deux personnes à l'institut P...» Mais surtout, après votre course rue Allaire, dans Beauport, ils traiteront vos fesses aux petits soins grâce aux merveilles de la technologie du lavement : « Chez R…, nous utilisons tous les moyens pour maximiser le confort du patient (insufflateur automatique, utilisation de CO_2). » Ce n'est pas rien, *high-tech* jusqu'au bout ! Cela dit, avant de profiter des charmes de l'avenue des Colombes, dans Charlesbourg, vous aurez la joie de découvrir la vie rustique des colons :

> La colonoscopie virtuelle nécessite une préparation spéciale pour vider l'intestin. Une diète faible en résidus débute deux jours avant l'examen et une diète liquide est requise la journée précédant le rendez-vous. Le patient doit également prendre des laxatifs, du baryum et l'iode. Nous fournissons le baryum et l'iode.

Tout cela est peut-être au menu du restaurant de l'hôtel, ils semblent si bien organisés… « Vous le prenez comment, votre baryum, monsieur ? – Bien cuit, s'il vous plaît. – Avec un peu d'iode ? – Non merci, je suis allergique. »

Ne reste plus qu'à réserver votre forfait et à découvrir les charmes de la rue de Fès, dans Neufchâtel-Est–Lebourgneuf, sous un angle totalement inédit.

Ouah ! Nous vivons vraiment une époque formidable. Merci à la mixité de la pratique en radiologie, qui rend possibles ces avancées extraordinaires !

Avant de devenir des touristes dans notre propre système de santé, il est vraiment temps de s'en occuper.

Au fait, j'ai envoyé la brochure à un célèbre radiologiste, qui m'a répondu ceci : « Je suis abasourdi ! » Et pourtant, il est difficile à abasourdir, croyez-moi.

Remerciements

Un merci vraiment immense...

À mon éditeur et tortionnaire, Mark Fortier, qui m'a proposé ce projet, puis m'a fait confiance et soutenu tout au long de ce périple, surveillant l'évolution de mon travail avec une incroyable patience, un sens aiguisé du détail et une vision d'ensemble étonnante... pour un hypocondriaque.

Aux lecteurs attentifs qui ont parcouru différents chapitres et m'ont prodigué des suggestions fort utiles : l'avocat Cory Verbauwhede, secrétaire-trésorier de MQRP, dont plusieurs des idées jalonnent ce livre ; l'économiste Jean-Pierre Aubry ; la militante Lucie Dagenais ; le Dr Jean Mireault ; le chercheur François Béland ; le chercheur Marc-André Gagnon et la juriste Marie-Claude Prémont.

À mes collègues et amis de MQRP, à qui je dois une grande part de mes modestes connaissances sur le système de santé et qui continuent de m'étonner chaque jour par la force de leurs convictions.

To my good friend Jerry Hoffman, a unique mind and soul, who taught me someday, somehow, that no one is really free without reinventing the world in his own way – and whom I also remind that I am still waiting for the English translation of Sacré-Cœur.

À tous les médecins et infirmières côtoyés à l'urgence qui enrichissent ma vie professionnelle et avec qui j'ai tant de plaisir à travailler.

À Ginette, ma femme – non c'est vrai, ma fiancée depuis 1991 –, avec qui je partage notre belle vie, infirmière de profession et professeure en soins infirmiers par passion, pour ses encouragements.

À ma mère, Marie Gaboury Vadeboncoeur, travailleuse sociale engagée qui n'a jamais cessé de m'épater et de m'inspirer.

Et enfin, à celui que je ne peux plus vraiment remercier, mais qui vient parfois me voir en rêve, l'écrivain, le syndicaliste, mon ami, mon père : nous sommes lapins-tortues devant l'Éternel.

Table des matières

CET OUVRAGE A ÉTÉ IMPRIMÉ EN
OCTOBRE 2012 SUR LES PRESSES DES
ATELIERS DE L'IMPRIMERIE MARQUIS
POUR LE COMPTE DE LUX, ÉDITEUR À
L'ENSEIGNE D'UN CHIEN D'OR DE
LÉGENDE DESSINÉ PAR ROBERT LAPALME

L'infographie est de Claude BERGERON

La révision du texte a été réalisée
par Robert LALIBERTÉ

Lux Éditeur
c.p. 129, succ. de Lorimier
Montréal, Qc H2H 1V0

Diffusion et distribution
Au Canada : Flammarion

Imprimé au Québec
sur papier recyclé 100 % postconsommation